LA COLLECTION TRAITEMENT NATUREL

De plus en plus de gens dans le monde sont victimes de maladies que la médecine moderne, malgré son développement technique, semble souvent incapable de prévenir ou de guérir. Donc, de plus en plus de gens se tournent vers la médecine «naturelle» en quête de réponses. La collection *Traitement naturel* a pour but d'offrir un guide clair, pratique et fiable pour les traitements disponibles les plus sûrs, les plus doux et les plus efficaces, de façon à ce que ceux qui souffrent et leurs familles reçoivent l'information nécessaire leur permettant de faire leur propre choix à propos des traitements les plus appropriés.

Mot de l'éditeur

Les livres de cette collection sont publiés à titre informatif et ne se veulent aucunement des substituts aux conseils des professionnels de la médecine. Nous recommandons aux lecteurs de consulter un praticien chevronné en vue d'établir un diagnostic avant de suivre l'un ou l'autre des traitements proposés dans cet ouvrage.

Diabète

Version française publiée chez:
Les Éditions Modus Vivendi
C.P. 213, Dépôt Sainte-Dorothée
Laval (Québec) Canada
H7X 2T4

Traduit de l'anglais par: Michelle Bachand
Design et illustration de la couverture: Marc Alain
Infographie: Marise Pichette

Dépôt légal, 1er trimestre 1998
Bibliothèque nationale du Québec
Bibliothèque nationale du Canada
Bibliothèque nationale de Paris

ISBN: 2-921556-50-2

COLLECTION TRAITEMENT NATUREL

Diabète

Catherine Steven

Consultants médicaux de la collection
Dr Peter Albright, m.d. et Dr David Peters, m.d.

Approuvé par
l'AMERICAN HOLISTIC MEDICAL ASSOCIATION
et la BRITISH HOLISTIC MEDICAL ASSOCIATION

MODUS VIVENDI

Table des matières

Liste des illustrations

Pour Babis, George et Nikki, naturellement

Remerciements

Mes remerciements vont à tous ceux qui ont contribué à fournir de l'information sur le diabète pour ce livre. Tout particulièrement à Andrew Ozanne, qui rendit beaucoup de choses possibles à un moment crucial; à George Oswald et Anne Kinch pour leur disponibilité et leur patience; à Katy Griggs, une mine d'informations; aux professeurs Edwin Gale et David Barker; à Nick London, à Christopher Bennetto et au Dr John Stanley; au Dr Peter Ellis pour son enthousiame et ses conseils; enfin, aux parents de diabétiques et aux diabétiques adultes qui m'ont fourni leur propre vision sur une maladie très complexe qui représente un défi.

Introduction

Plus de 100 millions d'individus dans le monde — dont près du tiers vivent en Europe — souffrent de diabète. Selon la Fédération internationale du diabète, nous serions sous la coupe d'une épidémie globale: au cours des huit dernières années, le nombre de cas diagnostiqués a triplé! Nous sommes tous à risque car le diabète peut frapper sans avertissement, dans n'importe quelle famille, n'importe quand.

Le diabète est une maladie du monde occidental. Peu connu dans l'Afrique rurale, le diabète est très répandu en Europe du Nord et en Amérique, où on l'associe à un style de vie confortable. Ce sont les pays du nord de l'Europe qui détiennent le taux mondial le plus élevé de cette maladie.

En Europe, le diabète a doublé en l'espace de 20 ans. Il est maintenant considéré comme la maladie de l'enfance qui augmente le plus. Pour les enfants, le diabète signifie être sous médication leur vie durant et être confrontés à des risques plus élevés de maladie rénale ou cardiaque.

Plusieurs personnes sont diabétiques sans le savoir et ne le découvrent que lorsque les symptômes deviennent si aigus qu'ils ont besoin de soins médicaux urgents. En Amérique, le diabète frappe environ une personne sur vingt et constitue la troisième cause de décès, avant les cancers du poumon et du sein. Un Américain sur cinq peut s'attendre à devenir diabétique, s'il vit au-delà de soixante-dix ans.

Même si les statistiques semblent inquiétantes, et elles le sont, nous pouvons agir pour combattre cette maladie mortelle du monde dit développé.

Vivre avec le diabète signifie, pour une bonne part, prendre les choses en mains et y faire face de façon quotidienne. Ce livre ne prétend pas à la guérison du diabète - parce qu'à ce jour, on ne peut en guérir. Mais avec des soins, des conseils et une aide adéquate, il est possible de suivre des méthodes sécuritaires et douces pour contrôler le diabète de façon naturelle, saine et rajeunissante.

Avec une diète appropriée et grâce aux idées nouvelles, et innovatrices, mises de l'avant par des spécialistes de l'alimentation — qui seront discutées dans ce livre —, plusieurs diabétiques devraient pouvoir contrôler leur maladie sans aucune forme de médication.

En tant que diabétique, vous pourrez rencontrer, de la part de votre médecin de famille, une certaine résistance aux «thérapies naturelles». Cependant, par des thérapies sécuritaires, telles que la gestion du stress ou la relaxation, et des thérapies par l'exercice, telles que le yoga, qui fait baisser les niveaux de glucose sanguin, il est possible d'améliorer votre sensation générale de bien-être. Or, un niveau de santé adéquat pour les diabétiques signifie garder la maladie en équilibre, sans hauts et bas extrêmes.

Dans le cas de cette maladie extraordinairement complexe, l'accent doit être mis sur la prévention. Dans la plupart des cas, il y a une période de glissement vers le diabète qui débute plusieurs années avant que les symptômes ne deviennent aigus et que le traitement soit essentiel à la survie.

Nous prenons de plus en plus conscience de la façon dont nous devons nous prémunir du diabète par une diète améliorée, de l'exercice et un style de vie plus sain.

La clé d'une bonne santé se trouve dans les mains des diabétiques eux-mêmes et ce livre leur est dédié, ainsi qu'à ceux qui sont au bord de la maladie (mais n'ont pas encore franchi ce cap) et qui sont préparés à prendre la vie à deux mains et à faire quelque chose pour s'aider positivement, mais surtout naturellement.

CHAPITRE 1

Qu'est-ce que le diabète?

Comment se développe-t-il et qui en est affecté?

Parmi les maladies connues de l'humanité, le diabète — ou *diabetes mellitus* de son nom médical — est une des plus anciennes et des plus complexes. Mentionnée dans des rouleaux de papyrus égyptiens remontant aussi loin qu'en 1500 avant Jésus-Christ (une diète haute en fibres de grains de blé et ocre était alors recommandée), la maladie fut pour la première fois désignée comme étant du diabète en Grèce antique, par le médecin Aretaeus de Cappadoce, en 100 A.D, qui décrivit la vie de ces parents comme étant courte et douloureuse.

Le mot *diabète* vient du grec «siphon» ou «couler à travers», soit les deux symptômes principaux de la maladie: une grande soif et le besoin d'uriner fréquemment. L'expression latine *mellitus*, ajoutée plus tard, signifie mielleux et décrit l'urine sucrée que les diabétiques excrètent à cause des taux élevés de glucose dans le sang, lorsque leur état n'est pas contrôlé.

Types de diabète

Il y a deux principaux types de diabète, dont vous pouvez avoir entendu parler sous des appellations différentes:

- *Type I*: le diabète insulino-dépendant ou le DID en abrégé, connu aussi comme le «diabète juvénile». Le type I est moins commun que le type II.
- *Type II*: le diabète non-insulino-dépendant ou le DNID, parfois décrit comme le «diabète de la maturité».

Pour faciliter la lecture, ce livre utilisera les termes type I et type II pour désigner les deux sortes de diabète — ce que font également les médecins.

Même s'il s'agit, dans les deux cas, de diabète, l'évolution de la maladie et la façon dont les complications s'installent sont très différentes. Les patients ont même des profils différents. Au diagnostic, le diabétique de type I a moins de 30 ans et est mince, tandis que le diabétique de type II, a plus de 40 ans et fait de l'embonpoint. Statistiquement, six p. cent de la population du monde souffre du diabète de type II.

La maladie

La cause qui sous-tend tous les diabètes est l'incapacité du corps de produire ou d'utiliser efficacement l'insuline, une hormone vitale pour la conversion des aliments en énergie.

Ceci se produit lorsque les cellules du pancréas (cette manufacture d'insuline en forme de pistolet qui se trouve derrière l'estomac — *voir Figure 1*) produisant l'insuline cessent de fonctionner ou ne peuvent en produire suffisamment pour répondre aux besoins du corps.

L'insuline est essentielle pour libérer le sucre (la réserve d'énergie du corps) du système sanguin vers les organes et les tissus vitaux du corps.

S'il n'est pas traité, le diabète peut tuer ou causer des dysfonctionnements importants dans la plupart des systèmes corporels, menant à des complications majeures, telles que les maladies de coeur ou de reins, la gangrène et la cécité.

Les diabétiques de type I sont *incapables* de produire quelque insuline que ce soit. Les symptômes apparaissent lorsque 70 p. cent des cellules produisant l'insuline dans le pancréas sont détruites.

Les diabétiques de type II continuent habituellement à produire une *certaine* dose d'insuline, mais pour des raisons diverses, le corps met des barrières ou une résistance à l'insuline qui ne peut alors jouer son rôle adéquatement

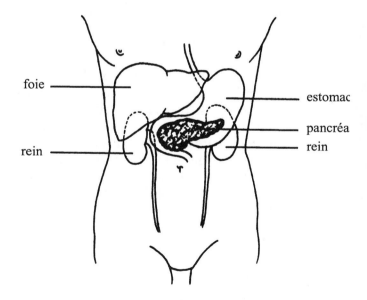

Fig.1 Le pancréas

Que fait l'insuline?

L'insuline est une protéine faite de 51 acides aminés. Non seulement laisse-t-elle le corps utiliser le glucose comme énergie, mais elle permet au glucose d'être emmagasiné dans le foie et les muscles, afin que le corps n'ait pas à employer le gras ou les protéines comme sources d'énergie. L'insuline aide aussi le corps à emmagasiner le gras et à réparer les tissus, elle est donc vitale pour la santé et la survie. Normalement, l'insuline est libérée dans la circulation sanguine après un repas (*voir Figure 2*). Son travail est de permettre au glucose, tiré des aliments sucrés et féculents, d'aller aux cellules des nerfs et du cerveau qui ne peuvent pas accepter un autre «carburant» ou énergie de forme différente que le glucose.

L'insuline est la clé qui ouvre la porte des cellules, permettant au glucose d'entrer. Quand il n'y a aucune insuline de produite, le glucose devient itinérant dans la circulation sanguine, sans accès aux bonnes cellules corporelles et condamné à flotter sant but.

Lorsque le niveau de sucre est suffisamment élevé (nous avons tous notre seuil rénal) le glucose en trop s'en va dans l'urine. Les reins répondent à ce surplus interne en le rejetant du système (d'où les mictions).

Pour faire ce nettoyage, de l'eau est tirée des autres cellules — ce qui produit une forte sensation de sécheresse et de déshydratation.

Ces deux symptômes sont des appels à l'aide de la part du corps dont les réactions bien réglées ont été gravement perturbées.

Avec le temps, un niveau élevé de glucose circulant dans le sang commence à endommager les organes, les tissus et les vaisseaux sanguins.

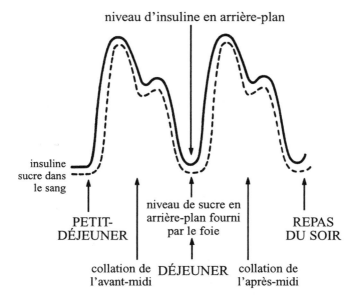

Fig. 2 Comment l'insuline contrôle les niveaux de sucre dans le sang
Reproduit avec la permission de la British Diabetic Association

Diabète de type I

Habituellement, le type I surgit de manière soudaine chez les enfants. En Finlande, où l'on trouve le plus haut taux de diabète du monde entier, avec une augmentation de 57 p. cent depuis 20 ans, les périodes de pointe pour le diagnostic des garçons se situent à deux, neuf et quatorze ans et chez les filles, à trois, cinq et onze ans.

Cependant, de plus en plus d'évidences indiquent que le diabète de type I peut apparaître plus tard dans la vie et même si on le retrouve rarement chez l'adulte, en théorie, il peut affecter n'importe qui, à n'importe quel âge. Les symptômes classiques sont:

- des mictions fréquentes
- une très grande soif
- de la fatigue et de l'irritabilité
- une perte de poids, un amincissement du corps

Si les symptômes ne sont pas traités, un déclin s'en suit, marqué par une perte de poids plus grande, des vomissements, l'apparition d'*acétone* dans l'urine (sous-produit toxique résultant de l'utilisation des réserves de gras par le corps pour avoir de l'énergie) et éventuellement, un coma.

Les scientifiques croient que la maladie peut prendre des mois et même des années à se manifester. Mais lorsque les symptômes classiques apparaissent, il est trop tard pour faire quoi que ce soit d'autres que de soigner la maladie avec l'insuline.

Pourquoi ceci arrive-t-il?

Le diabète de type I est considéré généralement comme une *maladie auto-protégée*. Ceci signifie que le système immunitaire du corps attaque et détruit des cellules apparemment saines. Dans le cas qui nous intéresse, les cellules produisant l'insuline dans le pancréas sont les cibles.

Les scientifiques se posent beaucoup de questions à propos de cette réaction hostile, mais cela pourrait être imputable à quelque chose d'aussi commun qu'un virus ou une toxine dans l'environnement.

Résumé diabète de type I:

- La majorité des cas apparaissent durant l'enfance, plus particulièrement à l'époque de la puberté.

- Dans dix p. cent des cas, un parent est déjà atteint de la maladie.
- Il est plus répandu chez les Européens.
- Il est plus souvent diagnostiqué durant l'été.
- Sa fréquence est plus élevée chez les garçons que chez les filles.

Diabète de type II

Ce diabète s'attaque aux gens de plus de 40 ans et obèses; il est de loin le type le plus fréquent de la maladie, comptant pour 75 à 90 p. cent de tous les cas.

Le diabète peut être déjà dans la famille et selon toutes probabilités, il y aura un déclin lent et insidieux avant que la maladie ne s'installe. On calcule qu'il y a, en Amérique, au moins six millions de personnes diabétiques qui ne le savent pas encore, parce que les symptômes apparaissent seulement lorsque la maladie est bien installée.

L'évolution de la maladie peut prendre plusieurs années durant lesquelles le patient pourra avoir une *tolérance au glucose diminuée* (plus haute qu'un niveau normal de sucre dans le sang), ce qui se vérifie par des tests sanguins. Les malades ont souvent un style de vie sédentaire et une diète forte en gras. Les hommes feront du ventre, les femmes seront très grosses dans la partie supérieure du corps. Les symptômes sont:

- la fatigue
- les mictions fréquentes, jusqu'à plusieurs fois par nuit
- le besoin de boire de grandes quantités de liquide, jusqu'à trois pintes et demi (deux litres) par repas
- une vision embrouillée

Pourquoi cela arrive-t-il?

Les diabétiques de type II produisent encore de l'insuline, mais elle n'est peut-être pas efficace, ou la manufacture d'insuline, le pancréas, n'en produit pas suffisamment.

Quelque 80 p. cent des diabétiques de type II sont obèses. L'obésité et l'inactivité stimulent la résistance à l'insuline, ce qui signifie que l'insuline produite ne rejoint pas les bons récepteurs dans les cellules du corps. Parfois, il y a trop peu de récepteurs d'insuline pour permettre au glucose d'entrer et d'être utilisé comme combustible.

Les diabétiques de type II peuvent aussi avoir une sécrétion d'insuline mal en point ou anormale après les repas, menant à de hauts niveaux de glucose dans la circulation sanguine.

Ce genre de diabète a tendance à affecter plus d'une personne dans une famille. Ceci signifie ou qu'il y a un lien génétique ou que la semence de ce type II de diabète est plantée dès que le bébé se développe dans l'utérus (*voir Chapitre 2*).

Diabète gravide

Il s'agit d'une troisième variété de diabète qui affecte à peu près quatre p. cent des femmes enceintes. Il est dépisté par un simple test sanguin après la vingtième semaine de grossesse.

Pourquoi cela arrive-t-il?

Durant la grossesse, le taux de glucose dans le sang augmente en réponse aux hormones de la grossesse et chez certaines femmes, le pancréas ne peut suffire à la demande d'insuline supplémentaire pour garder le taux de sucre dans le sang en équilibre.

Les femmes ayant eu un diabète gravide ont souvent de gros bébés. Le glucose supplémentaire circulant dans le sang de la mère traverse le placenta vers le foetus, qui répond en fabriquant plus d'insuline pour lui-même. La combinaison d'un surplus de glucose et d'un surplus d'insuline peut faire grossir le bébé et, après sa naissance, il y aura risque d'*hypoglycémie*, c'est-à-dire un taux de sucre dans le sang excessivement bas.

Les femmes souffrant de diabète durant leur grossesse peuvent n'avoir ressenti auparavant aucun symptôme et généralement, après la naissance du bébé, les symptômes disparaissent.

Cependant, 40 p. cent des femmes qui ont eu un diabète gravide, en développeront un vrai plus tard dans leur vie, habituellement de type II, mais parfois de type I.

Contrairement aux autres variétés, il y a peu de symptômes évidents. Des tests prénataux réguliers devraient les détecter.

Diabète d'adulte chez l'adolescent (DACA)

Ce genre de diabète fut isolé il y a 20 ans et est encore considéré comme étant rare. Le DACA présente tous les symptômes classiques du diabète de type II mais se développe chez les jeunes personnes de moins de 25 ans.

Le besoin d'insuline pour contrôler la maladie n'est pas très grand et dans certains cas, les complications du diabète n'apparaissent jamais. On croit qu'il y a un fort facteur génétique ou héréditaire dans le développement de ce type de diabète.

Diabète fragile

Une expression que l'on entend parfois, surtout en relation avec le diabète des adolescents, est le «diabète fragile». Ce n'est pas un type spécial de diabète, mais un terme décrivant l'instabilité de la maladie. Cela signifie que les individus — surtout les adolescentes — auront des taux de glucose dans le sang qui varieront de très bas à très hauts. Le diabète fragile se stabilise habituellement à la maturité.

Autres types de diabète et leurs causes

En de rares occasions, il arrive que le diabète puisse être causé par une autre maladie telle que la *pancréatite* ou par des problèmes hormonaux comme la maladie de Cushing et l'*acromégalie* (production excessive de l'hormone de croissance).

On notera que de grandes quantités de stéroïdes et de fortes doses de certains diurétiques peuvent aussi causer le diabète.

Complications

Avant la découverte de l'insuline, en 1921, par deux médecins chercheurs canadiens, soit le Dr Frederick Banting et l'étudiant en médecine Charles Best, 82 p. cent des diabétiques de type I mouraient dans les deux ans suivant la confirmation du diagnostic. À l'époque, le diabète de type II n'était véritablement pas identifié.

Il fallut la découverte de l'insuline et son utilisation dans le traitement visant à prolonger la vie des diabétiques, pour que les complications à long terme de la maladie soient reconnues. L'insuline sauvait les diabétiques — mais ne prévenait pas les complications.

Il y a deux types de complications:

- des conditions qui peuvent se produire du jour au lendemain
- des effets à long terme

Risques quotidiens

- *Hypoglycémie*. Parfois connue comme une réaction à l'insuline ou accident de l'insuline, elle se produit chez les diabétiques qui doivent s'injecter de l'insuline ou prendre des médicaments faisant baisser leur glucose, afin de contrôler leur maladie. Cela se produit lorsque trop d'insuline circule dans le sang, faisant baisser excessivement le taux de sucre. Cette réaction peut résulter d'un repas escamoté, alors qu'une injection d'insuline avait quand même été reçue ou durant un exercice physique, alors que le taux de sucre dans le sang baisse de toute façon.

Faire une hypoglycémie

La plupart des diabétiques connaissent leurs propres signaux avant-coureurs de l'hypoglycémie. Des plaintes récentes furent d'ailleurs prononcées à l'égard de nouveaux traitements à l'insuline créée génétiquement (appelée insuline humaine) qui atténuerait ces sensations, ce qui peut s'avérer dangereux *(voir Chapitre 5)*. Les symptômes peuvent comprendre:

- se sentir ébranlé
- se sentir malade
- avoir faim

• se sentir chaud et collant

Le malade peut ressentir des changements de caractère, de l'irritabilité ou de l'irrationalité. Ces symptômes peuvent s'accompagner d'une sensation de picotements autour de la bouche, d'un manque de concentration et d'une vision brouillée.

Il faut alors qu'il mange quelque chose de sucré, comme des biscuits, pour équilibrer les niveaux de glucose et d'insuline dans son système sanguin.

• *Hyperglycémie*. Signifie qu'il y a trop de sucre qui circule et pas assez d'insuline, ceci peut être le premier signe d'un diabète hors de contrôle.

• *Cétoacidose*. Le stress peut être un facteur dans cette complication du diabète où le corps est lentement empoisonné par des toxines internes, pouvant s'avérer fatales. Des états de stress prolongés peuvent faire monter le taux de sucre rapidement. Lorsque le corps a besoin d'énergie mais qu'il ne peut pas la recevoir par le glucose qui circule dans le sang, le cerveau demande au foie d'en produire des quantités supplémentaires. Plus de glucose est alors déversé dans le sang, faisant monter encore plus le niveau de sucre. Mais sans résultat. Sans insuline, aucun glucose essentiel ne peut rejoindre les cellules. Le cerveau appelle alors une autre source d'énergie, le gras. Ceci apporte une réponse immédiate, parce que lorsque le gras est brûlé, l'énergie est libérée. L'aspect négatif de ce processus est la fabrication d'un sous-produit appelé *cétone*, un acide toxique. Une quantité trop grande produit la cétoacidose. Le premier symptôme en est la nausée, suivie des deux symptômes classiques, la soif et une miction excessive, alors que le corps tente désespérément de se débarrasser des toxines. La déshydratation suit, puis les douleurs abdominales, la somnolence et la respiration rapide. Le résultat peut être le *coma diabétique* et, sans hospitalisation immédiate pour régulariser l'hydratation et le niveau d'insuline, la mort peut survenir.

- *Vision brouillée.* Si le niveau de glucose est élevé, la lentille de l'oeil peut être altérée, ce qui produit une vision brouillée. Généralement lorsque le niveau de glucose est abaissé, la vision embrouillée disparaît.

Complications à long terme

La maladie microvasculaire qui affecte les petits vaisseaux sanguins et la maladie macrovasculaire qui s'attaque aux gros, sont les deux complications à long terme du diabète. Un haut niveau de glucose sanguin non contrôlé peut:

- faire épaissir les petits vaisseaux sanguins, appelés capillaires, qui échappent alors des fluides ou ne peuvent fournir de nutriments aux tissus
- amener le glucose libéré ou non-utilisé à coller aux protéines du corps, causant ainsi la rigidité des mains et des articulations
- endommager et bloquer les canaux des nerfs
- incruster les artères

Maladie microvasculaire

Cette maladie qui endommage les petits vaisseaux sanguins ou capillaires peut causer ce qui suit:

Problèmes oculaires

Si vous avez le diabète, il est important que vos yeux soient examinés régulièrement, car le haut taux de glucose dans le sang peut affecter toutes les parties de l'oeil. De longues périodes de diabète non contrôlé peuvent produire une vision embrouillée et éventuellement, la cécité.

En Europe, 46 p. cent des personnes affligées du diabète de type I ont un certain dommage à la rétine. En Grande-Bretagne, la *rétinopathie diabétique* est la cause la plus fréquente de cécité chez les adultes âgés entre 55 et 64 ans.

Un niveau élevé de glucose peut causer des blocages dans les petits vaisseaux sanguins de la *rétine*, cette partie arrière de l'oeil, sensible à la lumière et qui envoie les images de ce qu'elle voit, par le nerf optique, au cerveau. Pour compenser ce blocage, d'autres vaisseaux s'ouvrent ou se dilatent et les problèmes surgissent lorsque les vaisseaux élargis commencent à suinter du sang.

Dans le cas de la *rétinopathie proliférante*, de nouveaux vaisseaux sanguins se forment à la surface de la rétine. S'ils suintent dans le centre de la rétine, appelé la *macule*, la vision peut s'embrouiller ou, dans les pires cas, être complètement perdue. Un ophtalmologiste peut traiter la rétinopathie par la chirurgie au laser.

Note: L'exercice est dangereux si vous souffrez de cette affliction et peut s'avérer dommageable pour votre vision.

Problèmes de la vue et diabète

- Lors du diagnostic, 25 p. cent des patients ayant le diabète de type II ont déjà souffert de changements dans les vaisseaux sanguins de la rétine.
- Le glaucome chronique et les cataractes sont plus fréquents chez les diabétiques.
- Deux p. cent des diabétiques deviennent aveugles à cause de la rétinopathie diabétique.

Dommages aux reins

Le diabète est la deuxième cause la plus fréquente de problèmes rénaux, la *néphropathie*, chez les patients ayant besoin de dialyse ou de transplantation.

Ceci arrive lorsque les petits vaisseaux sanguins des reins se durcissent et ne peuvent plus jouer leur rôle en filtrant les déchets hors du sang pour les évacuer dans l'urine. La situation s'aggravant, la fonction rénale se détériore et, finalement, une transplantation de rein devient la seule solution.

Dommages aux nerfs

La toile complexe que constitue le système nerveux peut être mise hors d'état par un taux de glucose élevé ou incontrôlé dans le sang.

Le revêtement protecteur des nerfs par une substance grasse peut être endommagé et les petits vaisseaux sanguins alimentant les nerfs deviennent bloqués, ce qui cause une perte de sensation et des engourdissements.

Vous pourrez entendre parler d'une affection appelée *neuropathie périphérique*, parce que c'est un genre commun de dommage nerveux qui se loge généralement dans les pieds, les jambes, les bras et les mains.

Ceci peut causer des picotements dans les parties affectées, puis de l'engourdissement, ce qui rend les blessures moins facilement détectables et, par conséquent, les infections plus difficiles à traiter. Dans les pires cas, cela peut mener à la gangrène et à l'amputation. Les pieds étant les plus souvent affectés, il est donc sage de les vérifier régulièrement.

La *neuropathie autonome* est le dommage causé aux nerfs du coeur, des vaisseaux sanguins et des autres organes internes qui peuvent modifier la pression sanguine.

Problèmes sexuels

L'impuissance est la complication sexuelle la plus fréquente. Elle survient lorsque les nerfs donnant les signaux aux vaisseaux sanguins nécessaires à l'érection sont endommagés par le diabète. Même si l'esprit le veut, le corps ne peut fonctionner. Certains moyens peuvent venir en aide aux hommes atteints d'impuissance, il faut en parler à votre médecin personnel. Un autre problème est l'*éjaculation rétrograde*, c'est-à-dire l'impossibilité d'éjaculer même en ayant un orgasme.

Chez les femmes, les dommages nerveux causés par le diabète peuvent modifier la performance sexuelle, en causant des difficultés de lubrification et d'orgasme.

Maladie macrovasculaire

Cette maladie qui endommage les gros vaisseaux sanguins peut causer ce qui suit:

Maladies cardiaques

Le risque de connaître une maladie cardiovasculaire est trois fois plus élevé chez les hommes diabétiques et quatre fois plus élevé chez les femmes diabétiques pré-ménopausées.

Problèmes particuliers aux femmes

Le *Journal of the American Dietetic Association* a publié, en septembre 1994, une étude sur les raisons de considérer le diabète comme une priorité de la santé des femmes.

Il y a 3,3 millions d'Américaines qui sont atteintes de diabète et le rapport indique que 60 p. cent de tous les nouveaux cas sont relevés chez les femmes.

Le rapport conclut que:

- Le diabète de type I présente plus de problèmes durant la grossesse.
- Deux fois plus de femmes meurent du diabète et des maladies qui lui sont reliées que du cancer du sein.
- Les femmes diabétiques sont plus à risque dans les cas de problèmes de nutrition et de cancer de l'endomètre.

Durcissement des artères

L'*artériosclérose* ou *athérosclérose* guette presque chaque personne à mesure qu'elle vieillit, qu'elle soit diabétique ou non. Ce durcissement des artères est causé par les dépôts de gras qui s'y accumulent et les durcissent, les rendant chargées et rétrécies.

Cet état est parfois accéléré dans le cas des diabétiques et peut mener à un plus grand risque d'arrêt cardiaque, de crise et de piètre circulation sanguine.

Pression sanguine élevée

L'*hypertension* est une complication fréquente et les deux tiers des adultes souffrant de diabète font de l'hypertension.

Syndrome X

Un ensemble de conditions reliées au diabète composent ce soi-disant syndrome X ou *syndrome de Reaven*:

- niveaux élevés de gras (*lipides*) dans le sang
- pression sanguine élevée
- couches de gras dans la région abdominale
- un état appelé *hyperinsulinisme* soit une résistance à l'insuline

Peut-on réduire les risques de complications?

La réponse est oui. Une étude américaine d'envergure, appelée l'Étude sur le contrôle et les complications du diabète, effectuée dans 29 centres et impliquant 1 441 diabétiques de type I, a réussi à démontrer qu'un contrôle énergique du glucose sanguin, c'est-à-dire le maintien du sucre dans le sang à un niveau normal, réduit les risques de complications d'au moins 60 p. cent.

Cependant, un contrôle rigoureux ou une *thérapie intensive* peuvent causer des effets négatifs. Ils peuvent entraîner un gain de poids et plus de «hypo» (baisse dangereuse de glucose sanguin).

Une thérapie intensive signifie:

- un auto-contrôle fréquent du glucose sanguin
- une attention particulière à la diète et à l'exercice

Elle peut ne pas être recommandée pour:

- les jeunes enfants

Différences de complications dans les diabètes de type I et de type II

- La maladie microvasculaire apparaît plus comme un problème associé au diabète de type I, alors que les complications macrovasculaires manifestent davantage dans le diabète de type II.
- Trente à 50 p. cent des diabétiques de type I développent une maladie rénale diabétique, alors que seulement une fraction de ce nombre, chez les types II, en seront affectés.
- Près de 40 p. cent des diabétiques de type II diagnostiqués ont développé une forme quelconque de problème oculaire, alors que ceux du type I n'en connaîtront probablement pas, même des années après avoir été diagnostiqués comme étant diabétiques. (Une étude européenne a constaté que les complications oculaires chez le type I affectent seulement sept p. cent des cas, cinq ans après un diagnostic de diabète. Par la suite, la moyenne s'élève graduellement pour se situer, après 20 ans, autour de 82 p. cent.)

- les femmes enceintes
- ceux qui ont déjà fait de l'hypoglycémie

Une étude semblable au Royaume-Uni, appelée *l'étude prospective sur le diabète,* a examiné le contrôle similaire des diabétiques de type II pour détecter les mêmes effets bénéfiques, c'est-à-dire prévenir ou retarder les complications. L'étude du Royaume-Uni a analysé les effets de la diète seule, de la diète et des médicaments conjugués et, du traitement à l'insuline.

Les diabétiques de type II peuvent faire une thérapie intensive pour contrôler leur diabète, sans toutefois devoir vérifier trop fréquemment leur niveau de sucre dans le sang. Si vous traitez votre diabète seulement par la diète, un contrôle hebdomadaire devrait suffire. Si vous prenez des médicaments, une fois par jour sera probablement suffisant.

Le diabète peut-il être guéri?

Non. Lorsque le diabète est diagnostiqué, on ne peut revenir en arrière. La seule guérison consisterait en une transplantation du pancréas, mais c'est une solution de dernier ressort et envisagée seulement en conjonction avec une transplantation du rein. Ce genre d'intervention a donné de bons résultats et les patients ont pu arrêter la prise d'insuline, mais celle-ci a été remplacée par de puissants médicaments pour prévenir le rejet de l'organe transplanté.

Résumé

- Lorsque le diabète de type I est diagnostiqué, une médication à vie est nécessaire pour remplacer l'insuline que le corps ne peut produire. La quantité d'insuline requise dépend de la capacité du corps à l'assimiler et les thérapies naturelles peuvent stimuler cette capacité.
- Si vous êtes un diabétique de type II vous ne pourrez pas guérir de la maladie, mais vous avez le pouvoir de la contrôler, dans certains cas sans capsules ou injections, plutôt que de laisser la maladie vous contrôler.

- Tous les diabétiques devraient vivre une vie longue et normale, sans douleur ni souffrance. Mais ceci nécessite de la discipline et un contrôle régulier.
- Les complications graves et à long terme de la maladie peuvent être retardées ou prévenues, si vous comprenez l'importance de contrôler votre diabète.

Ce livre a pour but de donner aux diabétiques, à leur famille et à leurs amis, le pouvoir de trouver d'autres façons de contrôler leur diabète, afin qu'ils puissent vivre une vie normale et pleine, en réduisant de beaucoup les craintes de complications.

Mais avant de commencer à faire des changements, vous devez comprendre un peu plus la mécanique de la maladie, qui en est candidat et pourquoi.

CHAPITRE 2

Déclencheurs
et causes du diabète

Quels sont-ils
et comment peuvent-ils nous affecter?

Le diabète peut frapper au hasard, ce qui, techniquement, nous met tous à risque dans le monde occidental. Personne n'a trouvé une cause unique au diabète, mais il existe plusieurs théories explicatives.

Il est généralement admis que les deux types principaux de diabète sont profondément enracinés dans la génétique: les causes naissent donc avec nous. Les personnes les plus à risque sont celles nées avec une *propension génétique* à la maladie. Pour le diabète de type I, il y aurait au moins neuf gènes impliqués, ce qui en fait un sujet très complexe à débattre et à étudier.

En février 1995, le Dr Simon Bennett du UK Welcome Trust Centre for Human Genetics à Oxford, en Angleterre, annonça sa découverte d'un défaut particulier de l'ADN dans le gène de l'insuline dans la partie qui contrôle la quantité d'insuline produite. Même s'ils y a plusieurs gènes qui, apparemment, prédisposent au diabète, ceci est seulement le deuxième défaut, ou mutation, à être reconnu.

La mutation se produit plus souvent chez les gens atteint du diabète de type I. Cette découverte est un autre morceau du casse-tête qui sera assemblé un jour et qui apportera la réponse sur la cause du diabète.

La théorie du gène pourrait aider à expliquer les points chauds du diabète dans le monde. Mais la génétique ne peut expliquer pourquoi, dans le cas de jumeaux identiques, seulement près du tiers d'entre eux voit les *deux* jumeaux être affectés du diabète. La plupart des médecins croient qu'il y a d'autres influences, probablement environnementales.

La prédisposition génétique au diabète ne signifie pas toujours qu'on en sera atteint. Il doit y avoir un déclencheur, quelque chose qui suscite la maladie.

Le déclencheur de la destruction des cellules du pancréas produisant l'insuline ou empêchant l'insuline d'atteindre les bonnes cellules, pourrait être un élément ou un ensemble d'éléments.

Parmi les théories explicatives couramment invoquées, on trouve:

Pour le diabète de type I
- un virus
- une protéine du lait de vache
- les toxines environnementales
- le stress
- le lieu de résidence

Pour le diabète de type II
- l'obésité ou l'alimentation trop abondante et le manque d'exercice
- la culture et le style de vie
- l'âge
- un niveau toujours élevé de sucre dans le sang
- le stress
- un faible poids à la naissance ou la malnutrition intra-utérine

Déclencheurs du diabète de type I

Un virus

Ce diabète est le plus souvent diagnostiqué au printemps, à l'automne et à l'hiver, et souvent après une maladie virale de l'enfant. Dans les années 1800, on a fait le lien entre les virus et le diabète de type I, lorsque des rapports firent état de diabète se développant après des périodes de maladie infectieuse.

Parmi les virus courants soupçonnés, on trouve celui des oreillons (qui peut causer une pancréatite sévère et parfois de l'hyperglycémie) et celui de la rubéole (40 p. cent des bébés ayant contracté la rubéole dans le sein de leur mère auront le diabète plus tard dans leur vie), ainsi que les virus des maladies suivantes: herpès, poliomyélite, encéphalite due à une tique, hépatite infectieuse, inclusions cytomégaliques et les virus ECHO et de Coxsackie B, ce dernier causant des maladies diarrhéiques.

Le virus de Coxsackie B comporte une similarité moléculaire remarquable avec les cellules bêta du pancréas (produisant l'insuline) et l'on avance la théorie que ce virus incite le système immunitaire du corps à attaquer les cellules du pancréas produisant l'insuline, les croyant hostiles.

Le lait de vache

La protéine dans le lait de vache est pointée du doigt comme étant susceptible de déclencher le diabète de type I. La fréquence de celui-ci est deux fois plus élevée chez les enfants nourris au biberon. Les chercheurs ont découvert qu'une réaction immunitaire à la protéine peut se développer chez les enfants génétiquement sensibles.

Il y a d'autres indices. La Finlande, qui a la plus haute incidence de diabète de type I, est aussi le pays où se consomme le plus de lait au monde. De plus, les habitants des îles Samoa occidentales ne présentaient aucun cas répertorié de diabète de type I jusqu'au moment où certains d'entre eux émigrèrent en Nouvelle-Zélande et burent du lait de vache pour la première fois.

Afin d'en connaître plus, une importante étude échelonnée sur dix ans est en cours au Canada et en Finlande; elle suit l'évolution de 2 000 nouveau-nés nourris au lait de vache durant les neuf premiers mois de leur vie.

Il est certain que l'allaitement au sein prolongé procure une certaine protection contre la maladie.

Toxines environnementales

Les additifs alimentaires, le poison à rat, les aliments fortement raffinés, les radiations ultraviolettes du soleil, même les aliments fumés et le manioc ont été réputés être des déclencheurs possibles à un moment ou à un autre.

Stress

Le stress peut s'avérer un facteur qui contribue à accélérer le processus de destruction cellulaire chez certaines personnes à risque (*voir Chapitre 8* pour plus de détails).

Le lieu de résidence

Le taux de diabète le plus élevé se trouve dans toute l'étendue de l'Europe. Le projet de l'Organisation mondiale de la santé pour le diabète infantile a examiné les données de 40 pays et a constaté des différences marquées au niveau de l'incidence du diabète dans les hémisphères nord et sud. Sous l'équateur, le diabète de type I semble relativement rare (mis à part l'Australie et la Nouvelle-Zélande), mais il peut s'agir de statistiques mal compilées ou du fait que le diabète dans ces pays, n'est pas vérifié régulièrement.

Au nord de l'équateur, cette forme de diabète est commune et augmente, avec des taux allant croissant, en Europe. En Finlande, les statistiques du diabète continuent à monter à un rythme alarmant. Un enfant finlandais a 50 fois plus de chances d'avoir le diabète qu'un enfant coréen ou chinois et 10 fois plus qu'un enfant grec.

Il y a même des différence régionales dans le même lieu. Dans les Îles Britanniques, par exemple, l'Écosse a deux fois plus d'incidence du diabète de type I que la République d'Irlande.

Les chercheurs constatent des augmentations brusques de temps à autre. Techniquement, ce ne sont pas des épidémies, parce que ces montées dans les statistiques ne sont pas nécessairement suivis de chutes dans le nombre de gens affectés; cela peut avoir à faire avec l'agrandissement du bassin génétique: par exemple, plus de femmes ayant un diabète de type I survivent et mettent au monde des enfants qui en seront atteints.

Les déclencheurs du diabète de type II

L'obésité et le manque d'exercice

Quelque 80 p. cent des diabétiques de type II sont obèses et être gras stimule la résistance à l'insuline. L'obésité est définie comme une abondance de tissus gras — les gens pesant 20 p. cent de plus que leur poids idéal sont techniquement obèses.

Un moyen précis d'évaluer si vous êtes obèse est de calculer votre indice de masse corporelle (IMC) en divisant votre poids en kilogrammes par votre taille (hauteur) en mètres carrés. Un IMC au-dessus de 30 indique l'obésité.

Le diabète de type II est relié à une alimentation forte en gras. L'exercice physique permet au corps d'utiliser l'insuline plus efficacement et pour certains diabétiques, ceci peut être la seule forme de traitement naturel requis pour gérer efficacement cette maladie.

Les chercheurs de l'American Dietetic Association ont montré que même une perte de poids moyenne peut signifier de 20 à 75 p. cent de réduction des facteurs de risque associés au diabète de type II, ainsi qu'à la haute pression sanguine et aux maladies cardiaques.

Les chercheurs ont découvert que les kilos les plus importants à perdre sont les premiers et que la clé consiste à perdre du gras tout en augmentant le taux de tissu maigre, ce qui signifie faire de l'exercice.

La culture et le style de vie

Les gens qui déménagent et s'installent dans d'autres pays contractent le diabète de type II plus souvent que les habitants du lieu. Par exemple, il y a une incidence plus grande de diabète chez les Asiatiques en Angleterre et les Hispaniques installés aux États-Unis.

Des habitudes de vie plus paresseuses et une alimentation de type occidental plus riche en gras sont des facteurs déterminants dans la théorie voulant que le changement de style de vie et de culture peut déclencher le diabète de type II.

L'idée que la malnutrition au début de la vie peut produire le diabète plus tard est née de la constatation du développement du diabète chez les communautés quittant des lieux où la nourriture était rare pour des pays d'abondance. Les Juifs éthiopiens relocalisés en Israël, par exemple, ont vu leur taux de diabète augmenter.

Une faible alimentation intra-utérine ou après la naissance du bébé peut, d'une certaine façon, affecter la fonction et la structure des cellules produisant l'insuline dans le pancréas et peut changer les tissus qui réagissent à l'insuline. Il est généralement reconnu qu'à l'âge d'un an, un bébé possède déjà la moitié de ses cellules bêta adultes (*voir page 50*). Les influences à ce niveau du développement peuvent très bien affecter la dimension et la structure du pancréas plus tard.

La malnutrition intra-utérine n'est pas le simple fait des pays en développement. Les foetus dans le monde occidental peuvent en être affligés si, par exemple, il y a un problème de transmission nutritionnelle par le placenta.

D'autre part, la diète de la mère peut manquer de nutriments essentiels avant la conception, au moment de la conception ou durant les neuf mois de la grossesse.

«Il fut un temps où l'on croyait que toute la vie était réglée au moment de la conception, mais il se pourrait bien que ce qui arrive durant les neuf mois qui suivent constitue le moule de la vie à venir» explique le professeur David Barker, directeur du

Medical Research Council's environmental epidemiology unit à Southampton en Grande-Bretagne.

Même s'il est convaincu de l'apport de la nutrition tôt dans la vie, il accepte les autres facteurs comme l'obésité, le vieillissement et l'inactivité physique comme jouant un rôle dans l'arrivée du diabète.

L'âge

Au fur et à mesure que nous vieillissons, la possibilité de contracter le diabète de type II augmente. Il y a quatre fois plus de risque pour les plus de 60 ans de contracter le diabète de type II que pour la population en général. Cela est relié à la diminution de l'activité physique et à une diminution naturelle de l'activité de l'insuline.

Niveaux élevés de sucre dans le sang

Cette situation sans symptôme, qui agit plus comme un signal d'alarme que comme un déclencheur, est techniquement une *tolérance diminuée au glucose* et peut signifier un déclin vers le diabète.

Cependant, toutes les personnes ayant une tolérance diminuée au glucose n'auront pas le diabète. Un test de deux heures permet de mesurer efficacement le niveau de glucose dans le sang. Si vous êtes une personne à risque, des techniques sûres et naturelles de diminution du taux de glucose ne vous causeront pas de tort et pourraient, au contraire, vous faire beaucoup de bien.

Stress

On sait depuis longtemps que le niveau de glucose dans le sang monte lorsque nous sommes sous l'effet du stress, de la tristesse, de l'inquiétude ou de la frustration. Pour le diabète de type I, le stress peut constituer un facteur plutôt qu'un déclencheur.

Faible poids à la naissance

Le professeur Barker a étudié le lien entre un faible poids à la naissance et le développement du diabète de type II plus tard dans la vie. Dans son livre *Mothers, Babies and Disease in Later Life*, il cite cinq études ayant démontré que les hommes et les femmes qui étaient de faible poids à la naissance ont des taux plus élevés de diabète de type II et une tolérance diminuée au glucose.

«Les gens qui étaient petits à la naissance et avaient peu de muscles, ont tendance à offrir une résistance à l'insuline et à connaître le syndrome X: diabète, hypertension et augmentation des triglycérides dans le plasma [un genre de gras dans le sang]», dit-il.

Devrions-nous tous subir un test de dépistage?

À ce jour, nul pays n'a un programme de dépistage du diabète principalement en raison des coûts élevés. Puisqu'il n'y a pas de remède conventionnel permettant de prévenir l'installation de la maladie, le dépistage est considéré non-éthique.

Un système national d'identification de la maladie se fera si les scientifiques trouvent une façon acceptable d'arrêter le diabète dans sa phase pré-diabétique. Le professeur Edwin Gale et les chercheurs de l'hôpital St-Bartholomew à Londres travaillent à un test pour prédire le diabète de type I chez les moins de cinq ans, qui utiliserait une combinaison de marqueurs et un test d'anticorps.

Test pour diabète

La vérification du glucose dans le sang donne une indication claire d'une production d'insuline normale ou pas. L'Organisation mondiale de la santé a défini un guide pour le test oral de glucose dans le sang qui peut indiquer:

- un niveau normal de sucre dans le sang
- une tolérance diminuée au glucose
- le diabète

Le test est expliqué en détail au *Chapitre 5*.

Lorsque vous serez diagnostiqué comme diabétique, vous devrez accepter de faire quoti-diennement votre propre test sanguin de taux de sucre. La majorité des diabétiques utilisent un appareil qui pique le bout du doigt et qui donne le résultat en quelques secondes (voir Figure 3).

Le test de la piqûre au doigt n'est pas final mais vous aide à gérer votre diabète. Il mesure le niveau de glucose sanguin à partir des capillaires et non d'une veine majeure où les concentrations de glucose pourraient être plus fortes.

Une autre façon consiste à mesurer le taux de glucose dans les urines. Ceci peut donner une indication de diabète, mais ne constitue pas un diagnostic.

Devrais-je me faire tester?

Comme tout le reste à propos du diabète, c'est à vous de décider si vous voulez agir. Vous devez décider si vous êtes à risque et, si oui, ce que vous planifiez de faire à ce sujet.

Les tests de glucose sanguin peuvent se faire chez le médecin de famille tout comme les tests de cholestérol. Si vous avez un niveau élevé de glucose sanguin votre médecin ne vous suggérera pas des moyens formels de vous y attaquer, mais il y a certaines actions que vous pouvez accomplir vous-même pour vous aider (ou demandez à d'autres de vous aider dans ces actions), elles sont expliquées en détail au *Chapitre 4* et plus loin dans le volume. Ou encore, vous pouvez demander à votre médecin des tests réguliers pour vérifier les changements notables au niveau de sucre dans le sang.

Le diabète de type II et une propension à avoir un haut taux de glucose sanguin peuvent frapper au hasard, mais dans plusieurs cas il y a un lien génétique. Quelqu'un dans la famille pourrait avoir la maladie.

Diabète limitrophe

Une forte proportion de gens ayant une tolérance au glucose diminuée finissent par développer le diabète. C'est l'état dans lequel les niveaux de glucose sanguin sont plus élevés que la normale, mais pas suffisamment dangereux pour nécessiter un traitement.

Les personnes à risque (vous pouvez avoir une tolérance diminuée au glucose et un membre de votre famille a le diabète) peuvent faire beaucoup pour s'aider durant cette phase, et, avec de bons conseils, peuvent même retarder l'apparition de la maladie.

La diète et l'exercice, de même que d'autres formes de thérapies douces telles que la détente et le yoga, sont les traitements clés dans la réduction des niveaux de glucose sanguin. Mais rappelez-vous, ce ne sont pas toutes les personnes affligées de ce pro-

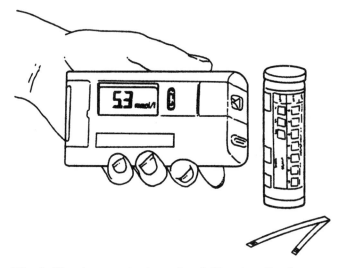

Fig. 3 Une trousse typique de vérification du glucose sanguin

blème qui auront le diabète. Cette situation peut durer des années ou se corriger par des taux de glucose sanguin revenant à la normale.

Le pancréas

Le pancréas est une glande et une manufacture de production d'hormones. Non seulement fabrique-t-il et contrôle-t-il la production et le débit d'insuline, mais il s'active à emmagasiner et à libérer d'autres hormones comme le *glucagon* dont l'effet est contraire à celui de l'insuline: il fait monter le niveau de sucre dans le sang. Une autre partie du pancréas produit les sucs digestifs qui se mêlent aux aliments quand ceux-ci quittent l'estomac.

La production de l'insuline dans le pancréas est supervisée par les cellules bêta dans une section nommée les îlots de Langerhans (d'après le nom du médecin qui les découvrit). Les *cellules bêta* sont un groupe de cellules du pancréas responsables de la libération de l'insuline. Comme les cellules du cerveau, les cellules bêta sont stimulées électriquement et réagissent au glucose dans le système sanguin.

Le glucagon est produit par les *cellules alpha* regroupées dans ces mêmes îlots ou groupes de cellules. Ensemble, ces îlots forment environ un p. cent du pancréas.

Recherche récente

La recherche internationale sur les gènes responsables du diabète fournit de nouvelles informations sur les personnes à risque. En 1994, deux nouveaux gènes furent identifiés, un sur le chromosome 6 et l'autre sur le chromosome 11. Le Dr John Todd de l'université Oxford, un des membres de l'équipe qui fit cette découverte, croit qu'il pourrait y avoir entre neuf et 12 gènes en cause.

Afin de trouver les gènes, le docteur Todd et une équipe de chercheurs médicaux recrutèrent 300 familles en Grande-Bretagne et en Amérique dans lesquelles deux enfants avaient un diabète insulino-dépendant, mais non les parents. La logique de cette approche était la suivante: si deux enfants sont affectés, mais aucun parent ne l'est, les enfants doivent avoir hérité d'une combinaison de gènes qui les rendent réceptifs à la maladie.

Environ 90 p. cent des nouveaux cas de diabète de type I frappent des familles sans antécédents immédiats de la maladie. La manière dont les familles réagissent à une telle situation est décrite dans le prochain chapitre.

CHAPITRE 3

Les enfants et le diabète

Les problèmes et les solutions

La plupart des cas de diabète de type I ou insulino-dépendant sont diagnostiqués dans l'enfance, soit chez les nourrissons ou à l'adolescence.

La médecine naturelle, en ce qui concerne le diabète juvénile, consiste à encourager l'enfant à s'impliquer complètement dans les soins requis par son état, à stimuler l'indépendance tôt dans la vie et, à garder la communication ouverte, surtout dans les années difficiles de l'adolescence.

Élever un enfant diabétique peut signifier marcher dans un champ miné. Une famille dont l'enfant est diabétique pourra avoir un bambin qui ne mange pas, un écolier qui se sent différent de ses amis, un adolescent rebelle qui refuse l'insuline ou souffre de troubles de l'alimentation. Tout ceci est normal, naturel et fait partie de la vie partagée avec un enfant diabétique.

La première tâche des parents est de se réconcilier avec le fait que leur enfant a reçu un diagnostic de maladie incurable. Les parents témoignent de sentiments de catastrophe, de culpabilité et de craintes pour le futur.

Lorrayne, mère d'un garçon de quatre ans, Adam, diabétique à trois ans, en est un exemple: «Je me doutais que c'était du diabète. Adam se levait le matin si assoiffé qu'il demandait tout à la fois du jus de pamplemousse, du lait, de l'eau. Il buvait même l'eau de son bain.»

«Lorsque je l'ai amené voir un médecin, le test d'urine montra un niveau de glucose astronomiquement élevé et il fut admis à l'hôpital le jour même, pour une semaine. Je me serais battue de ne pas avoir agi plus rapidement.»

Qui est le plus à risque?

- Si sa mère, son père, son frère ou sa soeur a le diabète de type I, l'enfant aura 20 fois plus de chances de contracter la maladie que le reste de la population.
- Les enfants courent un plus grand risque d'hériter de la maladie par les gènes de leur père que par ceux de leur mère.
- L'âge critique du diagnostic de diabète de type I chez les enfants est 12 ans.
- À la puberté, le corps subit toutes sortes de changements hormonaux et la prédisposition héréditaire à la maladie peut être déclenchée par ces fluctuations hormonales majeures.

   Les symptômes à surveiller sont:

- demande constante de breuvages
- mictions abondantes (une mère décrivait comment sa fille de deux ans remplissait continuellement son petit pot jusqu'au bord)
- changements de caractère — irritabilité
- léthargie et fatigue
- perte de poids

Les années de la petite enfance

La clé du fonctionnement avec un enfant diabétique est la flexibilité et l'encadrement de la maladie sans transmettre vos propres peurs et inquiétudes.

Plusieurs parents seront d'accord que ce n'est pas l'injection d'insuline qui est la plus difficile à contrôler, mais le test de sang sur le bout du doigt, que l'enfant déteste parce que c'est ce qui fait le plus mal!

Lorsque le diagnostic sur l'état de santé de votre enfant sera posé, attendez-vous à être hospitalisés avec lui pour trois à six jours. Employez ce temps sagement, pour apprendre tout ce que vous pouvez à propos du diabète et de ce que cela signifie pour plus tard, et pour obtenir de l'information et de l'aide.

Vous apprendrez comment donner des injections et prendre des tests sanguins. Choisissez, avec votre enfant, l'endroit où faire l'injection, sur la jambe, les fesses, le bras ou le ventre.

Vous devrez faire face à une situation nouvelle comprenant des repas réguliers et des injections. Les besoins d'un enfant en insuline sont habituellement jaugés par le poids, mais au début ce sera fait par essai et erreur. Il pourra y avoir beaucoup de tests et de vérifications de glucose sanguin avant que la condition de votre enfant ne se stabilise. Attendez-vous à rencontrer le spécialiste tous les trois mois. Les enfants grandissent vite et leurs besoins en insuline changent rapidement aussi.

À la maison faites que la séance d'injection soit aussi plaisante que possible. Détendez-vous, choisissez un endroit confortable pour vous asseoir, distrayez votre jeune enfant avec un jouet ou un livre, la télévision ou un vidéo. Soyez bonne mais ferme; un enfant ne devrait jamais pouvoir négocier d'avoir ou non son injection.

Comment donner l'injection à un bambin

En faisant attention, prenez un pli de la peau, insérez l'aiguille et injectez lentement l'insuline. Un massage de l'endroit permettra à l'insuline d'être absorbée plus rapidement. Félicitez et encouragez l'enfant. Essayez de l'impliquer le plus possible en lui permettant d'aller chercher l'équipement ou de choisir l'endroit ou l'injection sera donnée aujourd'hui.

Au début, il pourra sembler étrange et difficile de donner l'injection à son enfant. Une mère d'un petit de 18 mois décrivait sa première injection à son fils, alors qu'elle était seule à la maison, comme l'expérience la plus terrifiante de sa vie.

Une autre, à propos de la première injection qu'elle donna à son enfant de deux ans, dit: «Je suis devenue détachée, comme si je n'étais plus là. C'était comme si je ne pouvais supporter ce que je faisais à ma propre chair, mais je devais le faire. C'étais ma façon de m'en tirer.»

«Mon mari ne pouvait supporter une aiguille avant que Jack soit diabétique. Mais il a surmonté son problème avec détermination. Il a appris comment faire à l'hôpital et maintenant il donne les injections sans problème.»

Dans leurs jeunes années, il est facile pour les enfants d'accepter leur diabète, cela fait tout simplement partie de leur vie.

L'histoire de Barbara

Barbara Elster a mis sur pied le premier réseau d'aide aux parents d'enfants diabétiques en Grande-Bretagne. Ce réseau s'est avéré d'un grand secours pour plusieurs familles aux prises avec la maladie pour la première fois.

Elle croit en l'importance d'impliquer toute la famille afin que les autres enfants ne se sentent pas laissés de côté. Lorsque son fils Bradley fut diagnostiqué, elle avait trois filles de quatre, six et huit ans. Elles ont toutes grandi en connaissant, et plus tard en comprenant, la maladie de leur frère.

Un des souvenirs les plus vifs de l'enfance de Bradley, chez Barbara, est la présence du sac qui ne les quittait pas lorsqu'ils sortaient ensemble. Il contenait les effets permettant de faire face à toutes les situations possibles: vials d'insuline, seringues, boissons sucrées et biscuits (pour les hypoglycémies).

«Mon fils a maintenant 27 ans, il est caméraman et il continue à apporter son sac lorsqu'il voyage, n'importe où dans le monde», dit-elle.

Les bambins et la nourriture

Une des pires inquiétudes des parents de bambins est de vivre des phases où l'enfant ne veut pas manger ou manifeste des caprices alimentaires.

- Établissez des habitudes de collations. Ne vous attendez pas à ce qu'un jeune enfant s'en tienne à trois gros repas par jour comme le fait un adulte. Si votre enfant ne mange pas, offrez-lui suffisamment à boire — il finira bien par avoir faim.

- Ne lui demandez pas de s'asseoir pour manger. Demeurez flexible et offrez-lui des collations nutritives, telle une tranche de pain de blé entier qu'il pourra mâchonner tout en jouant dans le jardin.
- Acceptez les fluctuations inévitables de son niveau de glucose sanguin, puisque la vie d'un enfant est imprévisible.

La période scolaire

Les parents ont moins de contrôle sur le diabète de leur enfant lorsqu'il ou elle est à l'école. Votre enfant commence à grandir, il devient plus indépendant et c'est un autre obstacle à franchir pour les parents.

Allez chercher le plus de soutien possible de la part de l'infirmière spécialisée en diabète ou auprès du thérapeute naturiste; parlez à la direction de l'école; expliquez aux professeurs. Que tous sachent que votre enfant ne peut être puni pour avoir mangé son lunch trop tard ou s'il ne prend pas une collation importante à l'heure de la récréation.

Les enfants n'ont pas besoin de sentir qu'ils sont différents ils peuvent prendre une collation d'avant-midi à la récréation, comme tous les autres écoliers.

Les professeurs devraient savoir quoi faire dans l'éventualité d'une hypoglycémie. Assurez-vous que votre enfant a une réserve de biscuits et de boissons sucrées à l'école si son niveau de sucre dans le sang venait à chuter.

Stimulez son indépendance par:

- l'utilisation de renforcement positif: récompenser les bonnes actions plutôt que critiquer le comportement contraire

- installer un tableau qui montre à l'enfant ce qu'il doit faire chaque jour et le récompenser par une étoile. Ces étoiles pourront lui valoir un prix spécial ou un cadeau.
- ne pas être tenté de le punir pour ses oublis — faites-le concentrer sur la bonne chose à faire le lendemain
- éviter de trop refuser ou de dire non
- stimuler l'estime de lui-même en encourageant l'autonomie par les soins qu'il doit se prodiguer

L'adolescence

L'adolescence peut donner de gros maux de tête à n'importe quelle famille. L'hôpital St-Bartholomew de Londres a ouvert une des premières cliniques pour adolescents diabétiques qui sont sur le point de gérer leur diabète, en remplacement de leurs parents qui le faisaient.

Les adolescents semblent souvent incapables de s'astreindre à la corvée de leurs soins, ils ont des sautes d'humeur, sont maussades et distants. C'est normal et souvent dû aux changements hormonaux incontrôlables.

La réaction de la famille peut être vitale à ce moment. Un parent trop protecteur ou harcelant rendra l'enfant dépendant ou rebelle. Voici d'autres trucs:

- Ne soyez pas trop rigide à propos de la routine quotidienne. Un adolescent se rebellera encore plus ou tentera une expérience en cessant ses injections, si les parents manquent de souplesse à son égard.
- Évitez d'argumenter au sujet de la nourriture. Les adolescentes diabétiques sont plus sujettes à

l'*anorexie nerveuse* (la maladie de la minceur) et autres désordres de l'alimentation.

- Encouragez votre enfant qui veut prendre le contrôle.
- Gardez une bonne communication. Plutôt que de vous engager dans un affrontement, faites intervenir une troisième personne.

Les effets du stress sur les adolescents

À l'adolescence les hormones agissent et le niveau de stress, suscité par les examens et les problèmes normaux d'un adolescent qui bâtit sa personnalité, peut affecter le contrôle du glucose. Votre enfant qui grandit voudra peut-être essayer quelques thérapies de détente indiquées plus loin dans ce livre.

Si votre enfant est souffrant

- Assurez-vous qu'il boit suffisamment.
- Ne cessez pas les injections d'insuline.
- Vérifiez le niveau de glucose dans le sang et agissez en conséquence.
- Si votre enfant tombe malade, continuez à lui donner des boissons sucrées ou de la tisane sucrée avec du miel.
- Offrez à l'enfant un biscuit digestif s'il ne peut absorber un repas.

La recherche la plus récente

Deux études importantes commencées en 1994 promettent une percée significative dans la prévention du diabète des enfants et des adultes — mais pas avant l'an 2000.

L'essai à la nicotinamide

La nicotinamide est une vitamine du groupe B dont on trouve de légères traces dans une diète saine normale. Des études ont montré que de fortes doses peuvent protéger les cellules bêta produisant l'insuline dans le pancréas, des attaques du système immunitaire du corps.

Le Canada, les États-Unis et 24 pays européens se sont regroupés pour faire partie de l'essai européen d'intervention de la nicotinamide dans le diabète.

Pour cet essai, on a recruté 500 parents de personnes ayant le diabète de type I, agées de cinq à 40 ans, qui présentent le risque de devenir diabétiques dans les prochains dix ans, et on leur donne de la nicotinamide. Un test sanguin montre si les anticorps, qui attaquent les cellules produisant l'insuline, se forment dans le sang.

Vous risquez d'avoir le diabète de type I dans les prochains dix ans si:

* vous avec un parent au premier degré qui a le diabète de type I
* vous avez un test d'anticorps positifs élevé
* vous avez moins de 40 ans

Note: L'essai européen d'intervention de la nicotinamide dans le diabète utilise de grandes quantités de nicotinamide purifiée. Des suppléments de nicotinamide sont disponibles dans les magasins de produits naturels, mais ils ne sont pas aussi purs et ne doivent pas être absorbés en grande quantité.

Les sources alimentaires naturelles de nicotinamide sont la levure, la viande maigre, le foie, le poulet. On en trouve en quantité moindre dans le lait, le saumon en boîte et les légumes verts feuillus.

L'histoire de Jill

Michael, le fils de Jill, fut diagnostiqué diabétique dépendant de l'insuline dès l'âge de trois ans. «Michael a toujours beaucoup bu sans engraisser beaucoup, mais cela ne nous paraissait pas étrange, car mon mari et moi sommes assez petits.

À la fin du mois d'août, Michael contracta une infection de la gorge et des oreilles. Par la suite, il insista pour boire, puis il urina beaucoup, ce que nous avons alors mis sur le compte des breuvages.

Je lui donnais du lait, des jus de fruits, du melon, mais ça devenait excessif. Nous devions aller en vacances à Chypre, mais lorsque nous avons pesé Michael, nous avons découvert qu'il avait perdu un kilo. Je l'amenai chez le médecin pour un test d'urine: le papier devint bleu foncé, ce qui signifie un très haut taux de sucre dans l'urine.

Deux heures plus tard, à l'hôpital, un diabète de type I fut diagnostiqué. Je me sentais livide, bouleversée et désespérée, mais il fallait aller de l'avant et faire face à la situation.»

Six mois après ce diagnostic, la famille s'est ajustée au diabète de Michael: «Dans un sens, c'est plus facile de le savoir tôt que plus tard, car il ne connaîtra rien d'autre. Nous sommes plus détendus et il va même à des fêtes où il mange ce qu'il veut, nous nous arrangeons avec ça.

Nous sommes tout de même partis en voyage à Chypre. J'ai emporté tout ce qui était nécessaire, y compris des quantités de boissons peu sucrées.»

L'essai à l'insuline de la NIH

En 1995, dix centres de recherche américains commencèrent une étude de sept ans afin de trouver si l'immunisation contre les premiers signes du diabète de type I l'empêcherait de se développer.

L'immunisation consiste à injecter de l'insuline, deux fois par jour, ce qui fut étudié à petite échelle et montra des effets préventifs.

La raison pour laquelle on donne de l'insuline *avant* qu'elle ne soit nécessaire est qu'on peut ainsi retarder le début du diabète de type I et, par le fait même, retarder les complications de la maladie et peut-être les prévenir.

Résumé

L'enseignement de la confiance en soi est une étape importante du soutien donné aux enfants qui doivent accepter leur diabète. Le diagnostic du diabète exige de développer beaucoup de discipline personnelle et un des aspects positifs de cet exercice est que, souvent, les enfants diabétiques acquièrent une maturité remarquable, résultant de la responsabilité qui leur incombe.

Le prochain chapitre examinera les différentes méthodes d'aide personnelle pour les diabétiques de tous âges.

CHAPITRE 4

Comment vous aider
vous-même

*Techniques d'aide personnelle pour vous
et votre famille*

«La personne souffrante n'est pas diminuée mentalement ou moralement. Son pouvoir de penser et d'agir est intact. En exerçant sa volonté et son intelligence, elle est capable de se garder en santé», écrivait l'écrivain H. G. Wells dans une lettre publiée par le Times de Londres, en 1934, par laquelle il fondait la British Diabetic Association.

Wells n'est pas la seule personne célèbre à avoir souffert ou à souffrir du diabète. Beethoven, le musicien de jazz Dizzy Gillespie, Stan Laurel (de Laurel et Hardy), la comédienne Mary Tyler Moore et le chanteur britannique et acteur comique Sir Harry Secombe sont seulement quelques unes des personnes qui ont réussi leur carrière tout en étant diabétiques. Leur exemple montre qu'ils ne laissèrent pas la maladie leur mettre des bâtons dans les roues. Ils firent ce qu'ils voulaient de toute façon.

La clé de l'aide individuelle est de décider que vous voulez vraiment apporter des changements pour améliorer votre style de vie et votre santé, afin d'en tirer des profits dans les années à venir.

Quelques méthodes naturelles ont prouvé qu'elles pouvaient changer le cours de votre diabète. Elles se rapportent toutes aux trois points suivants:

* diète
* exercice
* gestion du stress

Les infirmières spécialistes du diabète disent que leur plus grande difficulté quotidienne est de convaincre leurs patients de perdre du poids et de surveiller ce qu'ils mangent.

Le défi qui se présente à presque tous les diabétiques de type II et qui est difficile lorsqu'on est d'âge moyen et ancré dans ses habitudes, c'est le changement de la diète alimentaire et l'abandon de mauvaises façons de faire au profit de bonnes, comme d'accepter un programme de perte de poids et d'exercices. Il faut de la volonté et de la motivation, même si vous savez pertinemment que ce qui se passe aujourd'hui pourra affecter votre santé dans les années à venir.

Diète

Il y a deux approches à la diète pour les diabétiques:

* faire une diète pour perdre du poids
* faire une diète pour mieux s'alimenter (qui sera discutée plus en détail au *Chapitre 9*)

Chez les diabétiques de type II l'obésité peut empêcher l'insuline de travailler activement dans le corps, donc en visant un poids correct par rapport à votre taille, vous améliorerez le contrôle du diabète, mais vous retarderez aussi certaines complications (*voir Figure 4*).

Le conseil officiel aux diabétiques est de s'en tenir à une diète saine, naturelle, comprenant suffisamment de fruits et de légumes frais, des viandes maigres et peu de gras saturé.

Une diète riche en hydrates de carbone est souvent recommandée aux diabétiques — mais on discute aujourd'hui de la pertinence de cette approche. Les chercheurs commencent à penser qu'une diète riche en gras monoinsaturé serait préférable à celle riche en hydrates de carbone, pour sa capacité à faire baisser le taux de glucose et à maintenir un sain niveau de bons *lipides* (gras dans le sang) dans le système sanguin, comme le cholestérol à haute densité lipoprotéinique.

Généralement, il est préférable d'éviter les diètes très faibles en calories comprenant des laits frappés ou des poudres, parce qu'elles peuvent mener à la perte d'oligo-éléments et de minéraux vitaux.

Il y a cinquante ans, on servait aux diabétiques des rations de famine en guise de traitement. Aujourd'hui on recommande de manger des aliments variés, de façon modérée.

Pour perdre du poids de façon sécuritaire et efficace, il faut brûler plus d'énergie (calories) que l'on en absorbe. L'énergie s'acquiert principalement par ce que nous mangeons et buvons (et par l'air que nous respirons), alors la seule manière de perdre du poids est de manger moins.

Un bon programme de perte de poids doit être aussi naturel que possible et doit vous permettre de perdre du poids graduellement mais régulièrement, sans le reprendre lorsque vous cessez le programme.

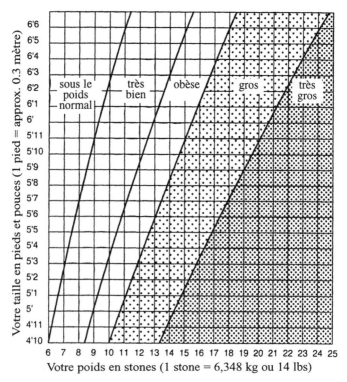

Fig. 4 Tableau du rapport idéal entre poids et taille

Les diabétiques ont besoin de prendre trois repas par jour (y compris le petit déjeuner) et comme tout le monde, de manger une grande variété d'aliments pour bénéficier d'une meilleure santé.

Un rapport américain publié en 1994, le *Nutritional Principles for the Management of Diabetes and Related Complications*, rapporte qu'une diminution même modérée de calories (entre 250 et 500 par jour) peut avoir un effet sur les diabétiques de type II.

Le secret de la perte de poids réside dans l'exclusion des aliments pleins de gras saturés et de sucre (lequel devrait être exclu le plus possible de la diète du diabétique) et dans l'ingestion de seulement 70 p. cent des besoins quotidiens en énergie. *Pour un effet maximum, il est important d'avoir une diète et de faire de l'exercice en même temps.*

Les diabétiques courent plus de risques d'avoir un taux élevé de mauvais cholestérol à faible densité lipoprotéinique, ainsi que d'autres gras dans le système sanguin, ce qui augmente considérablement le risque de maladie cardiaque. Mais rappelez-vous que tous les gras ne sont pas néfastes. On croit que le *gras saturé* est le plus mauvais. On le trouve dans les aliments tels que la viande rouge et les produits laitiers. Il est aussi relié à un taux élevé de cholestérol dans le sang.

Pour diminuer le gras saturé:

- Manger des coupes de viande maigres ou enlever tout le gras.
- Consommer plus de poisson et de volaille (bien que les diabétiques doivent éviter le poisson riche en huile comme le maquereau: il est reconnu que le poisson gras contenant des huiles oméga-6 peut augmenter le niveau de glucose dans le sang, bien que l'oméga-3 aide à diminuer le niveau de cholestérol).
- Employer une tartinade diététique plutôt que du beurre.
- Boire du lait écrémé ou faible en gras.
- Limiter le nombre d'oeufs à trois ou quatre par semaine.

• Éviter les saucisses de porc, les tartes, les hambourgeois, les frites, le lait gras, les gâteaux à la crème, le fromage cheddar.

Deux formes de gras, le *monoinsaturé* et le *polyinsaturé*, sont bons pour l'ensemble des individus mais plus particulièrement pour les diabétiques.

Le gras monoinsaturé est le plus bénéfique pour les diabétiques (*voir Chapitre 9*) mais achetez seulement de l'huile extra vierge pressée à froid, parce que l'huile extraite au moyen de la chaleur est transformée par ce processus et peut devenir néfaste.

Le gras polyinsaturé en quantité modérée est aussi bon pour vous. On le trouve dans l'huile végétale, telle que l'huile de maïs ou de tournesol.

L'autre aliment dont il faut se méfier est le *sucre*. Le sucre se change en gras dans le corps s'il n'est pas brûlé sous forme d'énergie. Trop de sucre dans la diète peut amener une déficience en chrome, un oligo-élément important pour les diabétiques.

À moins que vous soyez un diabétique de type I qui a besoin d'une ration d'urgence de biscuits de blé entier ou de petites tablettes de chocolat, évitez la tentation d'acheter des biscuits et du chocolat. S'il n'y en a pas dans l'armoire, vous ne pourrez en manger.

Méfiez-vous aussi du *sel* (chlorure de sodium). Trop de sel peut causer une élévation de la pression sanguine, particulièrement chez les diabétiques. Remplacez-le par les fines herbes, les épices ou le jus de citron sur les légumes.

Les éléments d'une alimentation saine

- Manger régulièrement. Prendre trois repas par jour, y compris le petit déjeuner.
- Manger une grande variété d'aliments.
- Manger suffisamment d'aliments riches en féculents et en fibres.
- Manger plus de fruits et de légumes.
- Éviter les aliments contenant de grandes quantités de gras saturé et de sucre.
- Remplacer les gras saturés par les gras monoinsaturés.
- Manger des quantités adéquates afin de conserver un poids santé.

Il est préférable de vous assurer que vous recevez les nutriments adéquats en mangeant des aliments frais, entiers, de préférence organiques, plutôt que des suppléments minéraux et vitaminiques. Il est reconnu qu'une quantité excessive de certaines vitamines (comme la vitamine C) peut, dans certains cas, être néfaste pour les diabétiques — même si elles sont inoffensives pour d'autres. Si vous devez perdre du poids, visez une perte de 0,5 à 1 kilogramme par semaine.

Planification de la diète

Ce qui suit devrait faire partie de la planification d'une saine diète.

- *Féculents*. Ils devraient constituer la partie principale des repas et des collations. Ils donnent une sensation de satiété, constituent une bonne source nutritive et sont peu coûteux. Ils contiennent également des fibres. Vous avez le choix entre le pain de blé entier, le pain pita, les biscottes aux grains entiers, les céréales de grains entiers (sans sel ni sucre ajoutés), le gruau non sucré, les muesli (non sucré), les pommes de terre bouillies et cuites au four, le riz bouilli, les pâtes.

- *Aliments protéiniques.* Accordez-vous deux portions de viande maigre, de poisson ou de volaille (sans la peau) ou des produits laitiers faibles en gras, deux fois par jour.
- *Fruits et légumes.* Prenez au moins trois portions de chacun chaque jour. Assurez-vous qu'ils soient frais et propres.
- *Buvez beaucoup d'eau claire (filtrée ou embouteillée).* Complétez par des tisanes ou des boissons faibles en calories.
- *Employez de l'huile d'olive, de tournesol ou d'arachide pour la cuisson.* Ne croyez pas devoir couper dans ces gras — ils sont très bons pour vous. Mais attention aux calories!

Trucs pour perdre du poids

La détente et l'imagerie visuelle

Un des grands problèmes de la perte de poids est la motivation. C'est très bien que le médecin considère ce but comme important pour améliorer votre santé ou pour éviter des complications futures, mais est-ce suffisant?

Des chercheurs de la Nouvelle-Zélande, réalisant les problèmes auxquels font face les diabétiques obèses, lancèrent une étude pour trouver la façon d'aider les diabétiques à modifier leurs habitudes alimentaires et à perdre du poids. Dans l'étude, on demanda à 27 diabétiques de type II de:

- noter quotidiennement les aliments ingérés

- faire des exercices non violents dont l'impact physique est doux
- commencer des sessions de détente
- identifier les stimuli qui poussent à manger
- utiliser des exercices d'imagerie visuelle afin de contrôler l'impulsion à trop manger

Après 11 semaines, les personnes du groupe avait perdu en moyenne 4,4 kilogrammes et leurs niveaux de sucre dans le sang et de cholestérol avaient baissé.

L'acupuncture

Les tiraillements d'estomac sont probablement ce qui est le plus difficile à contrôler pour l'obèse à la diète. Une personne qui mange trop a un estomac dilaté qui n'aime pas se faire dire de rester vide pendant qu'il se contracte vers une dimension normale.

Trop manger, particulièrement par compensation, est une habitude ancrée aussi difficile à briser qu'une autre. Les tiraillements d'estomac sont probablement la raison principale qui incite les gens à mettre de côté un programme contrôlé et essentiel de perte de poids.

Une solution facile existe: l'acupuncture, bien appliquée, annule les tiraillements d'estomac en stimulant ce que l'on appelle les hormones de plaisir, l'*endorphine* et l'*encéphaline*, stimulées par la nourriture.

L'acupuncture, jouant le rôle de la nourriture, empêche votre estomac d'en demander et les tiraillements ne se font pas sentir. De plus, les spécialistes de cette technique disent que ses effets se poursuivent après la fin des traitements.

La nourriture dans les réunions sociales

Les aliments et les breuvages contenant beaucoup de sucre (à éviter dans toute diète saine, de toute façon), peuvent représenter un problème en faisant monter le niveau de sucre dans le sang trop rapidement.

Contrairement au mythe populaire, vous n'avez pas à éviter complètement le sucre ou le sucrose. La recherche montre que le sucrose, isolément, produit une *réponse glycémique* similaire au pain, au riz et aux pommes de terre.

La réponse glycémique est la façon dont le niveau de glucose sanguin monte en réaction à une variété d'aliments. L'index glycémique (*voir Figure 5*) donne un indice pour chaque genre d'aliment. Il a été construit en comparant la hausse du glucose dans le sang produite par les aliments en comparaison du résultat donné par une quantité équivalente de glucose. Les diabétiques ne devraient pas contrôler leur diète en se servant de l'index glycémique — il sert seulement d'indication de l'effet des aliments sur le corps.

Si le diabète est bien contrôlé, les jours de fête comme Noël et les anniversaires ne seront pas trop difficiles à vivre. Les diabétiques insulino-dépendants peuvent réajuster leur dose lors d'événements spéciaux, sans se priver pour autant. Un petit morceau de gâteau ou une douceur seront pris, de préférence, à la fin d'un repas, plutôt que seuls, de façon à ce que les autres aliments du repas ralentissent le rythme d'absorption.

Le garde-manger du diabétique devrait contenir:

- suffisamment de fruits frais et de légumes
- des produits laitiers faibles en gras

- de l'huile d'olive
- suffisamment de protéines grasses telles que poulet, dinde ou légumineuses pour apporter de 10 à 20 p. cent (maximum) de l'énergie quotidienne requise
- suffisamment d'aliments riches en fibres et féculents tels que des céréales de son d'avoine et des biscottes

Les aliments diabétiques

À éviter à tout prix. En 1992, l'Association britannique du diabète a publié un rapport condamnant les aliments diabétiques tels que confitures, chocolat et biscuits.

Ces aliments furent mis en marché dans les années 60, lorsqu'on recommandait aux diabétiques de diminuer les hydrates de carbone et d'éviter le sucrose — recommandations diététiques qui ont maintenant changé. Ces produits contiennent en général plus de gras et un peu moins d'énergie que d'autres aliments comparables et ils coûtent jusqu'à quatre fois plus!

L'Association britannique du diabète dit: «Dans leur composition, les aliments diabétiques sont une relique dépassée de l'époque où l'on évitait les hydrates de carbone.»

Conseil à propos des breuvages

Le diabète ne vous oblige pas à couper l'alcool, mais si vous prenez de l'insuline, l'alcool peut vous rendre plus sensible à l'hypoglycémie.

Quand vous prenez de l'alcool, mangez de préférence des aliments riches en fibres, comme un sandwich au pain de blé entier qui se digère plus lentement et assure une augmentation du sucre dans

Produits céréaliers et de grain	%	Légumineuses	%
Maïs doux	59	Arachides	13
Millet	71	Fèves (en boîte, soya)	14
Pain (blanc)	69	Fèves noires	33
Pain (entier)	72	Fèves soya	15
Pâtisserie	59	Haricots	31
Riz (blanc)	72	Haricots (soissons)	29
Riz (brun)	66	Haricots blancs (en conserve)	40
Sarrazin	51	Haricots de Lima	36
Spaghetti (blanc)	50	Lentilles	29
Spaghetti (entier)	42	Pois chiches	36

Céréales à déjeuner			
Blé filamenté (Shredded wheat)	67	**Fruits**	
Flocons de maïs (Cornflakes)	80	Bananes	62
Gruau à l'avoine	49	Jus d'orange	46
Muesli	66	Oranges	40
Son All-bran	52	Pommes (dorées délicieuses)	40
Weetabix	75	Raisins	39 / 64

Biscuits	%	Sucres	%
Avoine	54	Fructose	20
Digestifs	59	Glucose	100
Rich tea	55	Lucozade	95
Ryvita	69	Maltose	105
		Miel	87
		Sucrose	59
Légumes		Tablettes de chocolat Mars	68
Fèves	79		
Pois congelés	51	**Produits laitiers**	
		Crème glacée	36
Légumes racines		Lait (entier)	34
Betteraves	64	Navets	97
Carottes	92	Yaourt	36
Lait (écrémé)	32		
Pommes de terre (instantanées)	80		
Pommes de terre (nouvelles)	70		
Rutabaga	72		
Yam	51		

Les chiffres ci-haut sont comparés au glucose pris comme standard de 100%

Figure 5 L'index de glycémie des aliments courants
Tiré de *Optimum Nutrition Workbook*

lentement et assure une augmentation du sucre dans le sang plus contrôlée et rappelez-vous ce qui suit:

- Les breuvages sans alcool ont un contenu en sucre élevé: prenez-les comme une boisson sucrée.
- Les bières faibles en sucre ont généralement un pourcentage d'alcool plus élevé.

Trop d'alcool n'est bon pour personne. Dans le diabète comme dans d'autres situations, la modération est préférable.

Guide de consommation d'alcool

Femmes	2 unités par jour/14 unités par semaine au maximum
Hommes	3 unités par jour/21 unités par semaine au maximum

(1 unité = 1 verre de vin régulier / 1 mesure d'alcool / 1/4 de litre de bière)

Essayez de passer deux ou trois jours par semaine sans alcool.

Exercice

Le British Diabetes Research Laboratory à Oxford, Royaume-Uni, étudie présentement le rôle de l'exercice dans la modification ou l'amélioration du niveau de sucre dans le sang chez les gens ayant une tolérance au glucose diminuée et la possibilité que l'exercice réduise leur propension à avoir le diabète.

La théorie veut qu'en agissant pour diminuer le taux de sucre dans le sang dans la phase prédiabétique, on peut retarder l'installation de la maladie et réduire suffisamment les risques de complications tardives.

L'exercice peut aider à diminuer le niveau de sucre dans le sang et stimuler l'action de l'insuline dans le corps; de plus, il permettra aussi:

- de vous donner plus d'énergie
- d'améliorer votre circulation
- de renforcer vos muscles
- d'améliorer votre respiration
- de retarder les effets du vieillissement
- d'améliorer les niveaux de cholestérol en faisant baisser le mauvais et augmenter le bon
- de renforcer votre sensation de bien-être
- de retarder ou prévenir les maladies cardiaques

L'exercice est la clé d'une meilleure santé parce que le diabète est relié au métabolisme du corps — la façon dont il retient et utilise l'énergie. De 20 à 30 minutes d'exercice trois fois par semaine, peut stimuler l'augmentation des récepteurs d'insuline, particulièrement dans les cellules des muscles qui alors réussissent mieux à attirer l'insuline durant et après l'exercice. Des essais cliniques ont démontré que certaines formes d'exercice comme le yoga (*voir Chapitre 8*) ont une très bonne influence sur le diabète et peuvent assurer des réductions à long terme du niveau de glucose dans le sang.

La résistance à l'insuline est associée généralement au diabète de type II, mais les diabétiques insulino-dépendants peuvent aussi devenir résistants, et ceci se produit lorsque les besoins en insuline augmentent pour répondre à l'ingestion quotidienne d'aliments.

Les bienfaits de l'exercice pour les diabétiques de type II

- Le sucre dans le sang est plus près du niveau normal, vous permettant plus de choix dans les aliments.
- Vous serez peut-être capable de réduire ou couper la médication orale destinée à faire baisser le glucose du sang.
- Le pancréas n'a pas besoin de produire autant d'insuline, ce qui peut retarder le besoin d'injections d'insuline.
- Vous devriez perdre du poids.

Les bienfaits pour les diabétiques de type I

- Les hausses de sucre dans le sang peuvent être réduits, surtout après les repas.
- Les doses d'insuline peuvent être diminuées (seulement après un contrôle rigoureux)

Lignes directrices pour les diabétiques de type I

Lorsque les personnes non-diabétiques font de l'exercice, la production d'insuline par le pancréas s'arrête, mais les diabétiques qui s'injectent de l'insuline ne peuvent interrompre la production.

L'exercice est important parce qu'il permet d'éviter les bas niveaux de sucre dans le sang. Si trop d'insuline circule dans le sang, il peut en résulter une hypoglycémie.

Une solution simple est de manger un peu plus d'hydrates de carbone ou de réduire la dose de l'injection avant de faire de l'exercice.

L'exercice a un effet différent sur chaque personne, selon le genre d'exercice, sa durée, votre âge et votre poids.

Afin de vous guider, un exercice léger et peu astreignant comme du jardinage vous demandera un supplément de 10 milligrammes d'hydrates de carbone avant de commencer et un autre 10 à 15 milligrammes lorsque vous aurez terminé. Ce pourrait être:

- une petite pomme ou pêche
- 7 demi abricots séchés
- 1/4 de litre de boisson gazeuse
- un biscuit digestif
- un petit sac de croustilles

Pour un *exercice exigeant* comme une heure de tennis, vous pourriez avoir besoin de 30 à 40 milligrammes d'hydrates de carbone avant de commencer et à peu près 15 milligrammes de plus chaque demi-heure environ. Par exemple, un bol de céréales, une barre granola ou un sandwich de pain entier faible en gras devrait faire l'affaire.

À la fin, vous pourriez avoir besoin d'une plus petite collation, tandis que le sucre dans le sang continue à baisser quelque temps après l'exercice.

L'histoire d'Andrew

«Je fus diagnostiqué comme diabétique insulino-dépendant en 1969, à la veille de Noël. J'avais 14 ans et cela a changé le cours de ma vie. Je devais soudainement m'habituer aux injections. On me dit également de faire attention à ce que je mangeais et d'éviter les sports de compétition.

En vieillissant, j'ai réalisé que je pouvais prendre part aux sports - et que ce serait bon pour moi. Dans les années 1980, je m'inscrivis au club athlétique local. Aujourd'hui, je cours le marathon une fois par année, je participe à des courses en saison, je pratique l'alpinisme, le triathlon, la bicyclette, la natation au large et l'exercice dans mon propre gymnase.

Si je n'avais été diabétique il n'est pas certain que je serais devenu sportif. Je suis très compétitif de nature, mais c'est peut-être relié au fait que l'on m'a dit, étant jeune, que je ne pouvais faire du sport.»

Andrew a maintenant 40 ans. Il est membre de l'Association internationale des athlètes diabétiques et participe à des courses internationales aussi souvent que possible.

L'intégration du sport dans sa vie, croit-il, l'aide à contrôler quotidiennement son diabète. Son poids est stable, l'exercice améliore le contrôle de l'insuline — son corps accepte et utilise mieux l'insuline. Il a besoin de tester minutieusement le niveau de glucose dans son sang et calcule comment et quand il peut faire de l'exercice.

Au travail

Andrew est un architecte qui trouve le temps de faire chaque jour une heure d'exercice, dont un minimum de 30 minutes d'aérobie. Un jour typique:

7 h Test sanguin (moyenne 12 mmol/1 — voir encadré *page 59* pour une explication de ces mesures) suivi d'une injection de 10 unités d'Actrapid, de l'insuline à courte action injectée au moyen d'un genre de plume.

7 h 30 Petit-déjeuner: une rôtie de pain à haute teneur en fibre.

10 h Collation: une banane.

12 h 30 Test sanguin sur le bout du doigt pour vérifier le niveau de glucose sanguin (moyenne

8 mmol/1) suivi d'une injection de 10 unités d'insuline.

13 h Déjeuner: sandwich à haute teneur en fibre, suivi d'un fruit et de yoghourt.

15 h 30 Collation: une barre de céréales.

18 h 30 Test sanguin sur le bout du doigt suivi de 12 unités d'insuline en préparation pour le repas principal de la journée.

19 h Repas principal de pâtes et de légumes, suivi de yoghourt et de fruit.

22 h 30 Dernier test de sang avant d'aller au lit et dernière injection de la journée — cette fois-ci 10 unités d'une insuline à effet prolongé pour la nuit, suivie d'une collation de céréales et de lait.

Au jeu

Le jour d'un marathon, Andrew doit planifier son emploi du temps différemment pour tenir compte de ses plus grands besoins en énergie. Si le marathon commence à 9 h, la journée se déroulera ainsi:

7 h Vérification du niveau de glucose sanguin par le test au bout du doigt. Injection de 4 unités d'insuline à action rapide.

7 h 10 Déjeuner de quatre tranches épaisses de pain blanc avec du miel et de l'eau.

9 h Le marathon commence. Après 8 à 13 kilomètres, Andrew prend une boisson sucrée. Après 22 à 30 kilomètres, il en boit encore. Après 35 à 42 kilomètres, une autre boisson sucrée est nécessaire pour stimuler son niveau de glucose. L'insuline et l'exercice contribuent à faire baisser le niveau de glucose sanguin et il y a risque qu'il descende trop bas et provoque une hypoglycémie. Àprès 37 kilomètres,

Andrew doit prendre 20 grammes de chocolat accompagné d'eau aux 8 kilomètres pour prévenir la déshydratation.

14 h Arrêt au fil d'arrivée et collation abondante de biscuits.

15 h Mange une grande assiettée de pâtes.

17 h Se délecte d'un grand bol de céréales (hydrates de carbone pour empêcher le glucose du sang de descendre trop bas à cause de l'injection d'insuline et de l'énergie dépensée dans la course).

22 h 30 Andrew s'attend à ce que son niveau de glucose dans le sang soit autour de 14 mmol/1 et le matin suivant à 16 mmol/1. Il veut garder son taux de glucose élevé pour éviter une grosse hypoglycémie, résultant d'un bas niveau du sucre sanguin. C'est le danger qui guette les diabétiques prenant part à un sport exigeant et le risque d'une hypoglycémie dure pendant trois jours consécutifs.

En résumé

* L'exercice aérobique augmente la sensibilité à l'insuline: vous avez le choix entre la marche, la natation, le cyclisme, le jogging, l'aviron ou l'aérobie.

* Le but est de faire une activité continue pendant 20 à 45 minutes, précédée d'un réchauffement de 5 à 10 minutes et suivie d'un rafraîchissement équivalent.

* Soyez prêt à contrôler souvent le niveau de glucose sanguin pendant les premiers mois d'un nouveau programme d'exercice.

Gestion du stress

Le Dr Clare Bradley, professeur à l'Université de Londres, a étudié le stress et le diabète pendant plusieurs années et dit que le stress peut à la fois déclencher le diabète et déstabiliser le contrôle de la maladie. Il est important que les diabétiques apprennent à reconnaître leurs propres stresseurs et qu'ils agissent en conséquence.

Voici ce que vous pourriez faire:

- préparer un tableau des choses qui vous dérangent ou vous inquiètent
- faire un test sanguin avant et après une situation potentiellement stressante (une entrevue, une visite chez le dentiste)
- garder un tableau où vous inscrirez vos réactions afin de voir si une courbe caractéristique se dessine
- effectuer un effort de détente qui utilise une thérapie douce *avant* la situation stressante.

Si vous êtes diabétique de type I et que vous avez noté une *baisse* du niveau de glucose sanguin à cause du stress, vous pouvez vous y préparer à l'avance en mangeant des hydrates de carbone en plus. Le stress et son contrôle par certaines techniques sont expliquées plus en détail au *Chapitre 8*.

Les pensées, sensations et émotions peuvent influencer votre niveau de stress. Si vous sentez des pensées négatives vous envahir, glissez une bande élastique autour de votre poignet.

Chaque fois qu'une pensée inquiète se présente, tirez sur la bande afin de l'arrêter. Essayez de la remplacer par une pensée positive, récitez votre

poème favori ou représentez-vous une image
mentale positive.

Cette technique peut vous aider à arrêter ces
pensées négatives menant au stress.

Que faire ensuite

Même si les techniques d'aide personnelle que
sont la diète et l'exercice peuvent aider considérablement à la gestion du diabète, elles ne constituent
pas des traitements de première ligne. Normalement
le genre de traitements sûrs, doux et efficaces recher-
chés vous seront offerts par un thérapeute naturiste
plutôt qu'un médecin. De toute façon, lorsque le
diabète est diagnostiqué, le premier endroit où vous
irez ne sera pas chez le thérapeute naturiste, ce sera
fort probablement chez votre médecin de famille,
qui vous dira comment traiter ce diabète. Le
prochain chapitre explique ce qu'il ou elle vous dira
et fera lors de cette visite. Il traite aussi de ce qui est
généralement offert de façon conventionnelle aux
diabétiques.

CHAPITRE 5

Traitements
et procédures conventionnels

Ce que votre médecin va probablement dire et faire

Lorsque vous vous présentez chez votre médecin de famille avec tous les symptômes de diabète, vous devez être pris au sérieux.

Vous allez probablement chez le médecin avec vos propres soupçons. Vous pouvez boire de plus en plus, ressentir la soif durant la nuit et uriner souvent.

Ou encore la maladie sera détectée par le biais d'un test de routine en clinique. Un test d'urine qui révélera un niveau élevé de glucose dans le système sera seulement une sonnette d'alarme.

Les tests d'urine ne constituent pas un diagnostic de diabète, mais avertissent le médecin qu'il faut procéder à d'autres tests.

Si les symptômes existent, le médedin voudra confirmer son diagnostic de diabète par un test sanguin. Ceci peut se faire à l'hôpital, dans une clinique spécialisée ou chez le médecin.

Si un doute subsiste, votre médecin voudra faire deux tests séparés pour confirmer ses soupçons, pour savoir si c'est vraiment du diabète ou une tolérance diminuée au glucose - laquelle ne requiert aucun traitement conventionnel, sauf d'être vérifiée régulièrement.

En plus du test sanguin, un autre test d'urine sera fait pour vérifier la présence d'acétone. Ceci, joint au test sanguin, diagnostiquera le diabète de type I. Tel qu'expliqué précédemment, l'acétone est un sous-produit du gras brûlé pour générer de l'énergie et qui signifie qu'aucune insuline n'est produite. Alors le corps se tourne vers les cellules grasses pour l'énergie vitale qui lui permettra de continuer.

Différents tests

Un *test sanguin général* peut être pris lors de votre première visite médicale. Ceci donnera une bonne idée du niveau de glucose dans le sang, mais ne sera pas tout à fait juste si, par exemple, vous venez de manger.

Un *test sanguin à jeun* est fait après un jeûne de 12 heures. Ce test est généralement fait tôt le matin.

Le *test de tolérance au glucose* peut être offert à une personne ne présentant pas de symptômes de diabète ou considérée à la limite du diabète. Elle boira 75 grammes de glucose pur dissous dans l'eau et des tests sanguins seront faits chaque heure ou demi-heure durant les deux heures suivantes. Ce test diagnostique:

- le diabète
- la tolérance diminuée au glucose
- la production normale d'insuline, faisant face comme prévu à l'influx de glucose.

Chez les individus en santé, les concentrations de glucose montent à peu près à deux fois le niveau normal en deux heures. Chez les diabétiques, le glucose sanguin monte à un niveau beaucoup plus élevé, le retour à la normale est plus lent et une grande quantité de glucose est excrétée dans l'urine.

Un autre test dont vous pourrez entendre parler est appelé le *test d'hémoglobine glycosylate* et donne au médecin une vue à plus long terme de votre condition. Le test peut dire, à partir de votre hémoglobine (le produit chimique qui donne la couleur rouge à vos cellules sanguines), comment l'équilibre entre le glucose et l'insuline a fonctionné dans les semaines antérieures. Ce test peut être répété deux ou trois fois par année. Une nouvelle machine appelée le glycomat, produite par Drew Scientific, a reçu l'approbation américaine en 1994 et rend le test beaucoup plus facile et moins coûteux; elle donne la possibilité de faire des tests plus souvent.

Comment les tests sanguins révèlent un diabète

Les test sanguins indiquent le niveau de glucose dans le sang. Dans la plupart des pays, à l'exception des États-Unis, la mesure est maintenant le millimole par litre, qui s'écrit mmol/l. Par exemple, un niveau normal de glucose dans le sang est en bas de 7,8 mmol/l, que vous ayez jeûné ou pas. Le guide de l'Organisation mondiale de la santé établit le diabète lorsque le niveau de glucose dans le sang est au-dessus de 11 mmol/l pendant un test de tolérance au glucose. Dans certains diabètes hors contrôle, le niveau peut monter aussi haut que 30. La *Figure 6* montre ce que les différents niveaux signifient.

Si vous avez reçu un diagnostic de diabète vous avez le droit de voir un spécialiste de cette maladie. Peut-être trouverez-vous que les soins combinés de votre médecin de famille et du spécialiste sont la meilleure solution.

Lorsque le diagnostic sera confirmé, le spécialiste voudra procéder à un examen physique complet afin de déterminer:

- si une autre maladie a déclenché le diabète (par exemple, une maladie du pancréas)
- si quelqu'une des complications du diabète déjà mentionnées dans ce livre est présente et, dans l'affirmative, quel traitement administrer.

Si vous prenez des remèdes naturels dites-le à votre médecin par mesure de courtoisie. Certains remèdes traditionnels comme la courge amère, un fruit asiatique (voir Chapitre 9), abaisse le niveau de glucose sanguin et ceci aura un impact sur les résultats du test.

L'examen médical vérifiera si vous êtes déshydraté, prendra les pulsations cardiaques en vérifiant la circulation et la pression sanguines, contrôlera vos poumons et votre respiration, l'abdomen, le système nerveux et les sens. Le médecin pourra examiner vos pieds et posera des questions sur les articulations et les ligaments. On pourra aussi vous proposer un test de cholestérol sanguin, parce que les gras du sang peuvent augmenter dans un diabète non traité.

CIBLES POUR LES DIABÉTIQUES		Bon	Acceptable	Pauvre	Très pauvre
Gras sanguin					
Cholestérol total	mmol/l	sous 5,2	5,2-6,4	6,5-7,8	au-dessus de 7,8
(LHD/LBD)	mg/dl(ÉU)	sous 150	150-200	200-240	au-dessus de 240
Triglycérides	mmol/l	sous 1,7	1,7-2,2	2,3-4,4	au-dessus de 4,4
	mg/dl(ÉU)	sous 100	100-120	200-250	au-dessus de 250
Pression sanguine					
Pression systolique	mmHg	sous 140	140-159	160-180	au-dessus de 180
Pression diastolique	mmHg	sous 90	91-94	95-100	au-dessus de 100

Attention: Les chiffres ci-dessus servent de guide seulement. Le cholestérol total n'est pas aussi significatif que le cholestérol lipoprotéinique à haute densité (LHD) et le cholestérol lipoprotéinique à basse densité (LBD) pris séparément. Plus le LHD est haut et le LBD est bas, mieux c'est. La pression sanguine varie aussi normalement selon l'âge, le sexe, le moment de la journée, les émotions et les activités de la journée. Une moyenne de plusieurs lectures doit toujours être prise sur une période de temps pour donner une indication adéquate.

Fig. 6 Cibles pour les diabétiques

Mythes à propos du diabète

- Le diabète n'est pas causé par la trop grande ingestion de sucre.
- Le diabète ne menace pas la santé: s'il est bien géré vous pouvez mener une vie longue et normale.
- Le diabète ne vous empêche pas d'avoir des enfants: vous pouvez bâtir une famille.
- Le diabète ne signifie pas que vous ne pouvez plus avoir du plaisir: vous n'avez pas à cesser d'aimer la vie et les repas.
- Le diabète ne signifie pas que vous êtes handicapé: vous pouvez prendre des vacances, travailler et vivre normalement.

Accepter le diagnostic

Un diagnostic de diabète peut entraîner, chez l'individu atteint, des sentiments de culpabilité, de tristesse, de colère, de désespoir et un choc. Le plus souvent, c'est l'ignorance relative à cette condition qui cause ces réactions. Le diabète étant une maladie complexe et compliquée, les gens ne la connaissent généralement pas ou peu.

Par ailleurs, ne vous attendez pas à vous sentir à l'aise avec cette maladie du jour au lendemain. Il faut y mettre du temps. Si vous êtes un parent, les sentiments de culpabilité et les craintes concernant le futur sont normaux et ces réactions naturelles. Elles s'estomperont progressivement, au fur et à mesure que vous deviendrez familier de cette condition et que vous apprendrez quoi faire pour vous aider ainsi que votre famille.

Traitement

Si vous êtes un diabétique de type I, on vous prescrira immédiatement le seul médicament connu: l'insuline.

L'insuline est une protéine et ne peut être donnée sous forme de comprimé. Elle serait alors digérée par l'estomac et rendue inactive.

La seule façon de recevoir de l'insuline est sous forme d'injection. Comme parent, on vous montrera comment donner les injections à votre enfant (*voir Chapitre 3*). De très fines aiguilles sont diponibles de même que des seringues de type plume, ce qui rend le processus simple, rapide et presque sans douleur.

L'insuline est dosée individuellement pour tenir compte du style de vie, de la taille, du poids et de l'âge.

Au début, vous procéderez par essai et erreur et l'on vous demandera d'effectuer une série de tests de glucose sanguin à la maison, afin de vérifier si l'insuline injectée a permis de maintenir le glucose à un niveau stable.

Le but est de rétablir l'insuline à un niveau aussi normal que possible, de façon à voir le taux de sucre dans le sang se maintenir à un peu moins de 7 mmol/1 plutôt que 10 mmol/1 et plus.

L'équation de base est l'équilibre entre l'absorption d'insuline, la nourriture et l'exercice (*voir Figure 7*). Rappelez-vous que la nourriture fait monter le niveau de glucose alors que l'exercice et l'insuline le font baisser.

Le médecin vous expliquera la dose d'insuline qui vous est nécessaire. Si vous changez radicalement votre style de vie en faisant plus d'exercice et

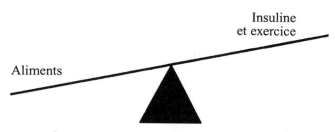

Fig. 7 Équilibrer l'alimentation, l'insuline et l'exercice

en mangeant des aliments différents, parlez-en à votre médecin.

Les régimes ou programmes de traitement les plus fréquents sont:

- une seule dose d'insuline à effet prolongé (utilisée seulement chez les vieux patients)
- une injection deux fois par jour qui combine l'insuline d'action rapide et moyenne. Ceci couvre le jour et la nuit et implique des repas pris à heures fixes.
- une injection quatre fois par jour d'une insuline à action rapide avant les repas et une insuline à action moyenne ou prolongée au moment du coucher. Ce système procure plus de flexibilité pour les périodes de repas.

Genres d'insuline

Les traitements à l'insuline ont fait de grands progrès au cours des deux dernières décennies. Il y a maintenant 38 genres différents d'insuline disponibles au Royaume-Uni. La majorité des diabétiques utilise de l'insuline humaine, génétiquement agencée en laboratoire et non tirée de tissu humain. Elle est plus facile à produire et plus pure que l'insuline de source animale. Cependant, environ 25 p. cent des diabétiques emploient de l'insuline animale, dérivée de cochons et de vaches abattues pour la consommation humaine.

Il en résulte plus de liberté que jamais pour les diabétiques libérés des contraintes de repas réguliers à heures fixes.

Il y trois genres d'insuline:

- *à action prolongée*: d'apparence opaque, elle assure une protection d'arrière scène, pour la nuit par exemple;
- *à action rapide*: d'apparence claire, elle peut être prise 20 minutes avant un repas pour agir en fonction des aliments pris;
- *mixte*: elle est opaque et contient les deux mentionnées ci-dessus;
- À noter, il se fait de la recherche et du développement sur une une nouvelle insuline à action rapide qui pourrait être prise cinq minutes avant de manger.

L'insuline est prise au moyen de:

- une *seringue* traditionnelle
- des *plumes* à insuline qui sont déjà munies d'une capsule d'insuline avec une très fine aiguille faisant partie du dispositif (voir Figure 8)
- des *pompes* qui injectent l'insuline automatiquement

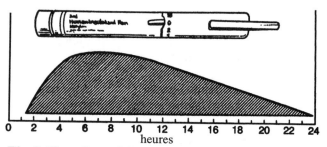

Fig. 8 Une plume à injecter l'insuline et un graphique montrant une courbe temps-action

La Figure 9 présente une liste des préparations d'insuline les plus communes et leur action.

	Synonymes	Apparence	Mode d'utilisation
Action rapide	Soluble	Claire	Avec les repas
Action moyenne	Isophane Semi-lente Lente	Opaque	Une/deux fois par jour
Action prolongée	Ultralente Protamine	Opaque	Une/deux fois par jour
Mixte	Biphasique	Opaque	Deux fois par jour

Fig. 9 Préparations habituelles d'insuline

D'autres façons de prendre l'insuline

Pour ceux qui ont la phobie des aiguilles, des études préliminaires aux États-Unis présentent un certain succès avec une insuline inhalée par le nez ou la bouche. Les quantités requises pour être efficaces sont plus grandes que celles données par injection, mais il semble que cette méthode pourrait être plus largement disponible dans le futur

Traitement des diabétiques de type II

Si votre taux de glucose sanguin est élevé et que l'on a diagnostiqué un diabète de type II, on pourra vous donner des capsules pour faire baisser ce taux. On les appelle *médicaments hypoglycémiques* ou médicaments pour stimuler la production d'insuline. Il y en a trois groupes:

Sulfonylurées

Leur action stimule la libération d'insuline du pancréas. Ils peuvent produire un gain de poids et sont habituellement prescrits aux diabétiques incapables de contrôler leur diabète par la diète seule. Les types habituels sont la glibenclamide, la gliclazide, la glipizide, la tolbutamide, la chlorpropamide. L'aspect négatif est le risque de souffrir d'hypoglycémie lorsque le niveau de sucre sanguin baisse trop. Comme pour le diabète de type I, il faut équilibrer l'ingestion de nourriture et la dépense énergétique.

Biguanides

C'est une catégorie de médicaments qui aident à faire baisser le taux de glucose sanguin et que l'on donne habituellement aux diabétiques obèses qui ne peuvent contrôler leur diabète par la diète seule. Les effets secondaires peuvent être la nausée et la diarrhée; on recommande de prendre ces médicaments avec de la nourriture.

Inhibiteurs alpha glucosidase

Un nouveau genre de médicament est prescrit lorsque la diète seule ne suffit pas à contrôler un haut niveau de sucre sanguin. Ces médicaments fonctionnent en ralentissant la digestion et l'absorption d'hydrates de carbone dans le système sanguin.

L'insuline sera prescrite aux diabétiques de type II si:

- les symptômes continuent — spécialement le manque d'énergie
- il y a une perte de poids continuelle
- il y a des niveaux d'acétone trouvés continuellement dans les urines

Diète et exercice pour les diabétiques de type II

Comme il fut expliqué au *Chapitre 4*, une grande proportion de diabétiques de type II seront capables de contrôler leur diabète par la diète seulement. Même si vous pouvez le faire par vous-même, la plupart des endroits ont maintenant des infirmières spécialisées en diabète prêtes à répondre à vos inquiétudes et à vos problèmes. Après le diagnostic, on vous demandera de vous soumettre à des examens médicaux réguliers et à des tests sanguins afin de vérifier la progression de la maladie.

Chirurgie

Des techniques expérimentales de traitement chirurgical du diabète sont maintenant développées en Grande-Bretagne et aux États-Unis, bien qu'elles ne soient pas encore considérées comme un traitement de première ligne. Ces techniques consistent en une:

- *Transplantation de cellules en îlots*
- *Transplantation du pancréas*

Transplantation de cellules en îlots

En 1995, un total de 150 diabétiques dans le monde auront eu une transplantation de cellules en îlots, une procédure qui consiste à transplanter directement du pancréas au foie des cellules saines produisant de l'insuline. C'est une procédure de 20 minutes, accomplie sous anesthésie locale. Le sang du foie encourage les cellules à s'implanter et à produire de l'insuline de façon normale, comme elles le feraient dans le pancréas.

La première opération eut lieu aux États-Unis en 1989 et on en fit six en Grande-Bretagne en 1995. Mais les résultats demeurent insatisfaisants. Après avoir subi une transplantation d'îlots de cellules, les patients purent se passer de traitement à l'insuline pendant seulement trois ans.

Le but est de perfectionner la technique et d'offrir un traitement aux nouveaux diabétiques afin d'empêcher le développement de la maladie et ses complications.

Transplantation du pancréas

La transplantation du pancréas est la forme la plus radicale de traitement du diabète. Il y a eu des réussites, mais l'opération comporte des risques et s'avère une procédure compliquée.

C'est pourquoi on l'offre maintenant seulement aux diabétiques affligés de sérieuses complications rénales, qui ont besoin d'une transplantation de rein. La transplantation du pancréas est faite en même temps.

Même s'il y a eu des réussites, on considère la transplantation comme un traitement de dernier recours. Les patients pourront se passer d'insuline, mais ils devront continuer à prendre de forts médicaments pour éviter le rejet des nouveaux organes.

Problèmes du traitement conventionnel

- Il est difficile de s'en tenir à un contrôle sévère tel que recommandé.
- Jusqu'à 36 p. cent des gens perdent leur sensibilité aux signes avertisseurs de l'hypoglycémie s'ils passent de l'insuline animale à l'insuline humaine.
- Cette perte de sensibilité signifie des contrôles encore plus sévères — c'est-à-dire plus de tests de glucose — et plus fréquents. Ceci peut créer un cercle vicieux de tests et de sentiments d'échec ou de stress si vous êtes incapable de maintenir les niveaux de glucose recommandés.

Résumé

Pour le diabétique qui a reçu un diagnostic récent, le message transmis par les praticiens conventionnels est de recevoir des tests régulièrement afin de vérifier comment se comportent les niveaux de glucose dans le sang. Vous allez vite voir un tableau émerger qui vous permettra de juger du niveau requis pour que vous restiez maître de la situation.

Lorsque le glucose du sang est maintenu à un seuil adéquat, les risques de complications subséquentes sont diminués de moitié, il y a donc de bonnes raisons d'agir ainsi.

Dans les quelques chapitres qui suivent, nous examinons des moyens d'apporter un complément au traitement conventionnel. C'est-à-dire comment d'autres remèdes peuvent être employés concurremment aux médicaments et aux recommandations de votre médecin ou du spécialiste du diabète, de façon à vous donner plus de chance de gérer votre diabète de manière sécuritaire, douce et efficace.

CHAPITRE 6

Les thérapies naturelles et le diabète

Les alternatives douces

Pour plusieurs personnes atteintes du diabète de type II, un changement de diète et de style de vie peuvent être tout ce qui est nécessaire pour abolir leurs symptômes et stabiliser leur maladie — bien que la plupart des diabétiques continueront à requérir des vérifications régulières.

Mais pour les diabétiques de type I et de type II, il y aura des moments ou une aide supplémentaire sera nécessaire pour maintenir la stabilité du niveau de glucose sanguin: dans des périodes de stress, par exemple, ou pour alléger les problèmes déplaisants, douloureux ou difficiles causés par les complications de la maladie.

Alors vers quoi se tourner? À ce point, vous serez probablement très familier aux stratégies médicales conventionnelles utilisées pour faire face à la maladie. Les médecins ont tendance à suivre une progression qui va de la diète à l'exercice, aux médicaments hypoglycémiques, à l'insuline, pour les diabétiques de type II.

Vous êtes probablement prêt à essayer quelque chose de différent, qui s'ajoute à votre traitement conventionnel et peut même l'aider à être plus efficace.

Si ceci vous concerne, alors vous êtes en bonne compagnie. Chaque année, dans le monde occidental, des milliers de gens se tournent vers les thérapies naturelles pour presque tous les problèmes de santé sous le soleil — même le diabète, pour lequel il n'y a pas de remède.

Les thérapies naturelles et les thérapeutes abondent tellement qu'il y a presque trop de choix. Pour certains, cela peut même s'avérer décourageant. Quand commencer? Est-ce sécuritaire de suivre un traitement d'appoint avec une maladie comme le diabète?

Première constatation: conjuger l'approche nouvelle d'une thérapie naturelle, avec la sécurité apportée par un médecin conventionnel, n'est plus impossible à réaliser de nos jours.

De plus en plus de médecins se convertissent aux thérapies naturelles et les incorporent dans leur pratique conventionnelle. Le Dr Peter Fisher, consultant au Royal London Homoeopathic Hospital a terminé en 1994 une étude sur la médecine complémentaire en Europe. Il affirme que, dans les derniers 20 ans, ce qu'il a appelé les grands cinq — acupuncture, herborisme, homéopathie, ostéopathie, chiropractie — sont devenus si courants qu'ils en sont orthodoxes.

C'est encore plus vrai aux États-Unis et en Europe continentale. En France, plus de 80 p. cent des médicaments à base d'herbes sont prescrits par des médecins, alors qu'en Belgique 84 p. cent des traitements homéopathiques et 74 p. cent des traitements d'acupuncture sont pratiquées par les médecins de famille.

Les quelques chapitres qui suivent pourront, souhaitons-le, montrer ce qui est disponible, par qui et ce que cela apporte au diabète et à ses complications.

Qu'est ce qu'une thérapie naturelle?

La thérapie naturelle est basée sur la croyance que le corps possède en lui une habileté naturelle à se guérir et que le but ultime de tout traitement est de stimuler et souligner cette habileté.

Le thérapeute naturiste regarde les maladies avec une perspective différente de celle d'un praticien de médecine conventionnelle. L'emphase est mise sur un traitement qui stimule les défenses du corps et bâtit sa résistance de façon à ce qu'il se guérisse lui-même, à sa manière et à son rythme.

Le thérapeute naturiste voudra connaître votre style de vie, votre santé en général et votre état d'esprit. Pour lui ou elle, la personne entière est importante, pas seulement le corps physique. Cela signifie que les thérapeutes naturistes veulent restaurer l'harmonie de l'esprit et des émotions autant que celle du corps.

La raison en est que les thérapeutes naturistes croient que le corps humain n'est pas seulement une machine physique à réparer, comme une automobile, mais un mélange complexe de corps, d'esprit et d'émotions ou d'âme si vous préférez — chacun ou l'ensemble pouvant contribuer aux problèmes de santé.

À part cette différence fondamentale, il y a un certain nombre de croyances et de principes, également importants, qui sous-tendent les thérapies naturelles et les classent à part des approches médicales plus conventionnelles. Ils peuvent être résumés ainsi:

- La vraie guérison n'est possible que lorsque la racine du problème est identifiée.
- La bonne santé est un équilibre physique, mental, émotionnel ou spirituel. Ce principe d'équilibre, au centre de l'idée de santé en médecine naturelle, trouve son expression dans la médecine chinoise, par exemple, dans le principe du *yin* et du *yang*.
- Il y a une force de guérison naturelle dans l'univers à la portée de chacun, mais c'est le rôle du thérapeute naturiste, en particulier, d'activer cette force ou d'aider les patients à l'activer pour eux-mêmes. Les Chinois appellent cette force *qi* ou *chi*, les Japonais *ki*, les Indiens *prana*.
- Les gens guérissent plus rapidement s'ils prennent la responsabilité de leur propre santé et jouent un rôle actif dans le processus thérapeutique — contrairement au rôle passif traditionnel joué par les patients de la médecine conventionnelle.
- Les facteurs environnementaux et sociaux ont une influence extrêmement forte sur la santé des gens et peuvent être aussi importants que la réalité physique ou mentale.
- Chaque personne est individuelle et conséquemment, différentes personnes nécessiteront différents traitements.

Vous pouvez penser que ceci semble particulièrement sage — alors pourquoi n'y a-t-il pas plus de médecins qui adhèrent à ces principes? Ils le font, mais sans pour cela adopter certaines philosophies orientales derrière ces principes.

Il y a plusieurs bons médecins conventionnels qui bâtissent des relations de soins avec leurs patients à la manière des thérapeutes naturistes. Mais plutôt que de parler du *chi*, ils diront simplement qu'il y a une forte tendance vers l'ordre dans l'univers et que nos propres capacités d'auto-guérison en sont un exemple.

La raison pour laquelle la plupart des médecins n'acceptent pas encore la majorité des thérapies naturelles est parce qu'elles sont basées sur des idées — comme le *chi* — qui ne s'intègrent pas à la connaissance scientifique conventionnelle.

La réflexologie, par exemple, consiste à masser les pieds pour stimuler la guérison dans des organes spécifiques situés ailleurs dans le corps. Des milliers de clients satisfaits témoignent que cela les a aidé, mais un médecin formé en anatomie trouvera que c'est difficile à croire.

Le fait qu'une thérapie puisse défier efficacement les lois de la science, comme on les comprend maintenant, est impossible à accepter pour plusieurs médecins et scientifiques dont la formation fut conventionnelle.

Les avantages des thérapies naturelles

Le plus grand avantage de la médecine naturelle, par rapport à la médecine conventionnelle, est l'étroite relation établie entre le thérapeute et le patient. Une simple consultation avec un bon praticien peut être en soi une cure. Certains médecins conventionnels ont ce genre d'approche avec leur patient, mais la plupart ne l'ont pas. Pourtant, cette relation est souvent la clé de la découverte des problèmes sous-jacents qui sont à la racine d'une mauvaise santé.

Un autre avantage des thérapies alternatives, contrairement aux médicaments et aux techniques médicales plus conventionnelles, est leur non-agressivité et l'absence d'effets secondaires. Ceci est une considération importante, surtout lorsqu'il s'agit d'une maladie comme le diabète, incurable mais, en grande partie contrôlable.

Les médicaments de médecine conventionnelle tendent, évidemment, à contrôler le diabète. Les remèdes naturels, au contraire, essaient de canaliser le mal. De fait, ils essaient d'augmenter les pouvoirs naturels de guérison du corps de telle façon que certains de ces médicaments ne soient plus nécessaires ou que leurs doses soient réduites (*mais soyez prudent — ne faites pas cela sans le consentement et la coopération de votre médecin*).

La plupart des thérapies naturelles sont très agréables, spécialement celles impliquant le toucher et les massages. Comme nous l'avons déjà appris, la détente est un moyen exquis de diminuer le niveau de glucose du sang.

Contrairement à plusieurs traitements conventionnels, les thérapies naturelles ont des effets secondaires qui sont presque tous positifs. Plusieurs personnes n'ayant pas de problèmes de santé particuliers s'inscrivent régulièrement à des sessions de thérapie par le toucher, pour profiter de la sensation de bien-être que ces thérapies apportent.

Plusieurs personnes qui essaient une thérapie naturelle pour un problème physique particulier s'aperçoivent qu'elles sont plus détendues, avec une vision plus positive de la vie en général et que leur image de soi s'en trouve améliorée.

Comment les thérapies naturelles traitent le diabète

Même si toutes les thérapies naturelles partagent les principes holistiques fondamentaux soulignés plus haut, en pratique, elles peuvent être divisés en deux catégories distinctes: les thérapies émotionnelles et les thérapies physiques.

Les thérapies émotionnelles ont pour but de traiter votre condition mentale et émotionnelle alors que les thérapies physiques se concentrent sur votre état physique. Par exemple, la méditation s'occupe de votre état émotionnel, alors que les thérapies de manipulations, comme le massage, sont des traitements physiques pour votre corps.

Bien entendu il y a de larges pans qui se recoupent. L'amélioration de votre état mental aura des répercussions sur votre santé générale, soit par l'effet direct de la détente ou parce que vous aurez adopté une attitude plus positive, que vous aurez changé des aspects de votre style de vie et de vos façons d'être qui pouvaient affecter votre santé.

De la même manière, l'amélioration de votre santé physique aura un effet positif sur votre état mental et vos émotions, parce que, nous l'avons vu, les deux sont inséparables.

Enfin, il y a des thérapies qui ont pour but de traiter l'esprit et le corps en même temps. Des techniques comme le yoga sont un excellent exercice pour votre corps entier, mais elles ont aussi un fort effet émotionnel.

Cette approche double rend les thérapies naturelles utiles et pratiques pour gérer le diabète. Par exemple, une thérapie émotionnelle telle que la biorétroaction peut aider les personnes souffrantes à accepter leur maladie et à la voir de façon peut-être plus positive. Puisque le diabète de type I dure toute la vie, cette forme de thérapie naturelle peut aider les diabétiques à envisager l'avenir positivement.

Elle peut même aider, dans certains cas, à réduire les symptômes et à diminuer certaines souffrances dues à des complications affectant les nerfs, les yeux, les reins et le coeur.

En même temps, une approche physique utilisant les aliments fonctionnels ou l'acupuncture, peut soulager les symptômes et contribuer à créer des changements physiologiques tels que la diminution du taux de glucose dans le sang et la modification du niveau de lipides dans le sang. En retour, ceci vous permettra d'acquérir plus de contrôle sur votre diabète plutôt que de voir le diabète vous contrôler.

Thérapies naturelles utiles au diabète

Thérapies émotionnelles	*Thérapies physiques*
Autorelaxation	Aliments fonctionnels
Biorétroaction	Aromathérapie
Détente profonde	Homéopathie
Méditation	Hydrothérapie
Visualisation créatrice	Massage
	Médecine naturopathe
	Médecines orientales traditionnelles
	Médecine par les plantes
	Réflexologie
	Yoga

Résumé

Les thérapies naturelles peuvent aider à:

- traiter votre état émotionnel pour parer au stress
- traiter votre état physique général et augmenter votre bien-être

Dans la gestion du diabète les thérapies naturelles accomplissent ceci en:

- contre-attaquant, réduisant et éliminant les tensions émotionnelles par la détente
- identifiant le comportement et les habitudes qui vous rendent vulnérable aux modifications inutiles de votre glucose sanguin
- stimulant les processus naturels de régénération du corps
- donnant du tonus aux tissus et aux organes
- améliorant la circulation (bon pour ceux qui souffrent de désordres du système nerveux)
- aidant à abaisser les niveaux de gras et de glucose dans le système sanguin

Dans les quelques chapitres qui suivent nous verrons comment les thérapies énumérées ci-dessus peuvent aider. (Pour savoir comment trouver et choisir un thérapeute naturiste, voir *Chapitre 10.*)

CHAPITRE 7

Soigner votre esprit
et vos émotions

Gérer le diabète et le stress

Plus la science médicale se penche sur la façon dont le corps et l'esprit sont reliés, plus on découvre que l'esprit a une profonde influence sur presque chaque maladie étudiée. Ce n'est que dans les temps récents que la culture occidentale a considéré le traitement du corps, des facultés mentales et de l'esprit séparément les uns des autres.

Un intérieur calme (l'esprit) peut influencer l'extérieur (le corps). Les tourments intérieurs peuvent affecter le diabète par l'impact des hormones de stress sur le niveau de glucose sanguin, causant des hauts et des bas, et l'effet sur la circulation sanguine superficielle peut modifier l'absorption d'insuline.

Dans le diabète de type I, par exemple, le stress continu et les grands événements stresseurs de la vie peuvent accélérer les attaques d'anticorps sur les cellules produisant de l'insuline et ainsi déclencher la maladie plus rapidement.

Définir le stress

Le stress est une situation très individuelle. Nous réagissons tous différemment aux événements et le fait d'avoir le diabète peut ajouter une tension émotionnelle dans des situations de la vie telles que le mariage, la naissance, le deuil.

De façon générale, le stress incite notre corps à agir comme s'il était attaqué. Nous pouvons réagir positivement en tirant de la situation de l'énergie et de la motivation ou nous réagirons négativement en étant incapable de nous adapter aux pressions externes et internes.

Le stress se présente de façon multiforme. Il sera physique par une blessure, la maladie ou un diagnostic de diabète, ou il sera émotionnel par des problèmes conjugaux, un divorce, le deuil ou le sentiment d'inutilité.

Ensuite, il y a les stress quotidiens. Ils seront aussi simples que le bris de la machine à laver, l'auto qui ne démarre pas ou l'autobus qu'on a raté.

Notre façon de réagir est aussi très individuelle. Nous avons tous notre seuil de tolérance, c'est-à-dire une limite à la quantité de stress que notre esprit et notre corps peuvent absorber. Un surcroît de stress — plus que nous ne pouvons absorber — causera une augmentation de la tension et de l'anxiété.

Nous pouvons alors nous retrouver dans la noirceur de l'anxiété, céder à la panique, être incapable de nous concentrer ou de fonctionner adéquatement et efficacement. Des sentiments incontrôlables d'inquiétude, de frustration, d'hostilité, de colère et de ressentiment peuvent émerger.

Le stress peut représenter un sentiment de tension, l'impression d'être blessé sans raison, l'incapacité de lâcher prise, de se détendre, de laisser la vie couler comme elle se doit. C'est une combinaison de pression et de tension.

Lorsque nous sommes dans un état de stress le corps se prépare à agir. Ceci constitue notre réaction d'attaque ou de fuite, réactions qui nous viennent de nos ancêtres de l'époque préhistorique.

Le niveau de plusieurs hormones augmente, ce qui a pour effet de libérer beaucoup d'énergie emmagasinée (le glucose et le gras) et de les rendre disponibles à toutes les cellules pour alimenter la fuite.

Pour les diabétiques, cette réaction de bataille ou de fuite ne sera peut-être pas aussi efficace. Dans des périodes de stress, l'insuline pourra mal fonctionner et le niveau de glucose augmentera.

Il y a de bonnes raisons de croire que cela est le cas pour les diabétiques de type II. Les tests de laboratoire chez les diabétiques de type I ont présenté des réactions plus variées au stress. Dans la plupart des cas, le niveau de glucose sanguin monte; chez certains il reste stable; alors que dans d'autres, le niveau baisse.

Les effets du stress

En 1985, des chercheurs en Australie analysèrent le cas de 1 526 personnes ayant survécu à de terribles feux de forêts survenus au pays deux ans auparavant. Le nombre de troubles de santé, y compris le diabète, augmenta énormément 12 mois après les évènements.

La même année, une étude accomplie par des chercheurs britanniques sur les antécédents de 13 diabétiques insulino-dépendants montra que 77 p. cent d'entre eux avaient connu un ou plusieurs stress majeurs dans leur vie durant les trois années précédant le diagnostic.

Pour combattre le stress activement — par la relaxation et les programmes de gestion du stress — il est important de savoir comment vous réagissez à une situation stressante. Une façon de le faire est de remplir un tableau des situations stressantes et de vos réactions à ces situations en comparant les hausses et les baisses du taux de glucose sanguin.

Le stress de se savoir diabétique

Un diagnostic de diabète cause un grand stress parce qu'il signifie de profonds changement de vie. C'est une maladie qui demande une attention et un contrôle constants.

Le Dr Richard Shillitoe, dans son livre *Counselling People with Diabetes*, décrit l'évolution de la maladie comme semblable à un mariage arrangé pour lequel il ne peut y avoir de divorce.

Il peut en résulter plusieurs moments d'harmonie et de coexistence amicale, mais aussi des périodes de frictions et d'incertitude.

Si le diabète est diagnostiqué au milieu de la vie, les ajustements nécessaires demanderont un grand effort. Il y aura beaucoup de pression venant de l'entourage pour effectuer ces changements «pour votre bien».

Les diabétiques insulino-dépendants pourront ressentir beaucoup de stress pendant la transition entre leur vie normale et la nouvelle qui sera organisée, contrôlée et enrégimentée par les vérifications quotidiennes, les repas à heures fixes et les injections régulières.

Le diabète pourra avoir des répercussions sur votre travail (vous ne pouvez pas être pilote d'avion, par exemple, si vous êtes diabétique); cela signifie être étiqueté pour la vie.

On recommande à la personne insulino-dépendante de porter en permanence un bracelet d'identité, en cas de coma diabétique ou d'hypoglycémie. Vous transporterez avec vous un rappel constant de votre condition si vous êtes diabétique de type I: l'équipement quotidien de survie sous forme de seringue ou de plume à injection d'insuline.

Rien de surprenant, alors, que les diabétiques ou leurs parents ressentent parfois beaucoup de frustrations et de colère en se posant la question: «Pourquoi moi?» ou «Pourquoi mon enfant? Qu'ai-je fait de mal?»

Le stress intérieur et l'émoi peuvent contribuer à empirer votre condition. Les diabétiques peuvent se retrouver, à certains moments, enfermés dans un cercle vicieux de mauvais contrôle du diabète et de souffrances émotionnelles.

Nous réalisons donc qu'il y a plein de possibilités dans le traitement du diabète pour des thérapies douces qui calment l'esprit et améliorent, par le fait même, le contrôle et la gestion de la maladie.

Parmi les thérapies existantes pouvant être utiles nous trouvons les suivantes:

- autorelaxation
- biorétroaction
- hydrothérapie
- méditation
- techniques de détente
- visualisation

Autorelaxation

L'autorelaxation est une forme occidentale de méditation qui comprend des techniques d'autosuggestion. C'est une technique qui implique l'esprit et le corps — et c'est ce qui la distingue des autres méthodes de détente musculaire exclusive.

La technique comprend trois approches principales: concentration passive, répétition mentale d'un groupe de phrases associées à certaines parties du corps et à certains états (comme la chaleur et la pesanteur des membres, un battement cardiaque calme et régulier, une chaleur abdominale calmante, l'autorégulation de la respiration) et enfin, l'élimination de tous les stimuli excitants ou dérangeants.

La théorie veut que ce soit une forme d'autohypnose qui peut modifier les mécanismes d'autorégulation naturelle du corps (ou *homéostatique*), y compris le système endocrinien. L'apprentissage de l'autorelaxation demande entre cinq à 10 séances d'une heure chacune, une fois la semaine — après quoi vous êtes laissé à vous-même pour employer la méthode telle que requise.

L'autorelaxation comprend un ensemble de six exercices mentaux spécifiques qui sont répétés et employés pour aider à tolérer les situations stressantes.

Biorétroaction

La biorétroaction est une façon de contrôler vos propres réactions à l'aide d'un équipement spécial.

Par exemple, la machine peut être reliée à vous de manière à mesurer votre rythme cardiaque. Vous pourrez entendre une série de sons: leur vitesse sera celle de vos battements cardiaques. En faisant un effort de détente, vous apprendrez à ralentir le rythme cardiaque et à en sentir les bénéfices. Vous apprendrez aussi à comprendre vos propres sensations de tension.

La recherche a démontré que les techniques de biorétroaction peuvent améliorer la circulation sanguine surtout lorsqu'on les utilise en conjonction avec des cassettes de détente centrées sur des sensations de chaleur et de pesanteur. Cette technique peut s'avérer utile aux diabétiques éprouvant des problèmes de circulation ou une perte de sensation dans les mains et les pieds.

Hydrothérapie

L'hydrothérapie revient à la mode après un certain temps passé dans l'oubli. Littéralement, l'hydrothérapie signifie thérapie dans l'eau et toute forme de thérapie dans l'eau est de l'hydrothérapie, y compris la natation.

La thalassothérapie — soit l'utilisation de l'eau de mer pour traiter certains problèmes, y compris les problèmes circulatoires — et les bains d'eau minérale en sont d'autres exemples. Dans plusieurs pays d'Europe, surtout la France et l'Allemagne, les centres de thalassothérapie sont très populaires en raison de leurs pouvoirs guérisseurs et reconstituants. Certains employeurs les recommandent même à leur personnel durant leurs vacances annuelles.

Une autre forme d'hydrothérapie, populaire dans la plupart des pays occidentaux, est d'entrer dans des bains spéciaux, remplis avec suffisamment d'eau chaude salée pour vous permettre de flotter dans un lieu calme et fermé. Flotter amène une profonde détente.

Il existe encore une autre forme d'hydrothérapie qui consiste à nager avec les dauphins (voir l'encadré).

Nager avec les dauphins

Nager avec les dauphins est une technique de détente très agréable qui est de plus en plus à la mode.

Pour permettre aux vacanciers de nager parmi les dauphins en liberté, des voyages sont organisés aux endroits suivants: Eilat (Israël), Bali (Bahamas), la Floride, la Côte d'or en Australie.

Marie-Hélène Roussel, spécialiste des techniques de renaissance et organisatrice d'excursions de natation avec les dauphins en Israël, à partir de Londres, dit avoir remarqué que plusieurs personnes, y compris des diabétiques, ressentent une amélioration de leur condition physique ou mentale après avoir nagé avec des dauphins.

Méditation

La méditation est maintenant une technique testée et très pratiquée pour dissiper les sensations de tension et de stress. Elle peut mener à un profond repos, améliorer la clarté mentale et la vivacité ainsi que le sommeil, réduire le stress, l'anxiété et la dépression.

Pour méditer à la maison, installez-vous dans une pièce tranquille et assoyez-vous, les mains reposant sur les genoux. La position classique de la méditation est celle du lotus, illustrée dans les imprimés indiens; cependant vous pouvez vous asseoir d'une autre façon, l'important est d'être confortable. Ce sera tout aussi efficace.

Le but est de libérer votre esprit de toutes les pensées stimulantes ou troublantes. La manière de faire la plus simple est de remplacer ces pensées par d'autres qui illustrent le calme et l'immobilité. Par exemple, vous pouvez répéter un mot tel que Om, Dieu ou Un.

Répétez le mot régulièrement et en rythme. Tout en établissement le rythme, ralentissez la répétition du mot (accélérez si des pensées troublantes bloquent votre concentration).

Vous pouvez décider de vous concentrer sur votre respiration ou sur un objet tel qu'une image ou une chandelle. En faisant ceci, l'attention est orientée vers le dedans, amenant un calme intérieur et une conscience.

Même si la méditation peut être apprise et pratiquée à la maison, ce n'est pas facile. Il y a des variantes — la *méditation transcendantale* en est une des plus connues — qui toutes demandent de la concentration et du temps pour les maîtriser adéquatement. Il est préférable de recevoir sa formation d'un professeur expérimenté, avant de commencer.

Techniques de détente

Certains chercheurs proclament leur capacité de faire baisser les niveaux de glucose sanguin au moyen de techniques spéciales de détente. D'autres disent que les techniques de détente n'ont aucun effet.

Certains suggèrent que la détente aide seulement des diabétiques de type II bien que d'autres disent avoir eu du succès auprès de ceux de type I. À la fin, cela devient une décision personnelle: vous payez et faites votre choix. Si ça fonctionne pour vous et que vous vous sentez bien, faites-le.

La détente sert à atteindre une profonde sensation de paix. Elle cherche à favoriser une impression de bien-être et à fournir les instruments nécessaires pour faire face à la colère réprimée, l'hostilité ou le ressentiment.

La détente peut s'avérer aussi simple qu'un bain chaud et une infusion de camomille. Elle peut aussi faire appel à la haute technologie, telle que de se brancher à un appareil électronique de biorétroaction qui surveille la tension du corps.

Même si la détente ne modifie pas directement votre condition de diabétique, elle peut aider à vous libérer de sentiments de frustration et d'inquiétude et vous aider simplement à mieux faire face à la vie.

À la maison, vous pouvez vous détendre par:

- l'exercice
- le rejet des pensées négatives
- le remplacement des pensées négatives par des pensées positives
- l'emploi de temps pour soi: du temps pour marcher, parler, écouter de la musique et surtout faire des choses que *vous* aimez
- l'utilisation d'une voie alternative — si un trajet vers le travail implique des blocages routiers stressants, changez-le
- l'écoute de cassettes de détente

Les cassettes de détente servent à la thérapie de détente progressive et comportent des indications sur la façon de tendre et ensuite de détendre les diverses parties du corps. Après trente minutes d'exercice, vous pourrez glisser doucement vers le sommeil. Les cassettes vous apprennent comment trouver les tensions de votre corps et comment les relâcher pour vous détendre.

Visualisation

La visualisation est une technique simple et parfois très efficace qui consiste à créer dans votre esprit des images thérapeutiques incitant à la santé.

Cette technique a eu un certain succès auprès de patients cancéreux ayant appris à visualiser la destruction des cellules de leur corps causant le cancer, par des cellules favorisant la santé.

Autres thérapies

D'autres thérapies proclamant pouvoir traiter les problèmes émotionnels sont:

• l'homéopathie (voir *Chapitre 8*)
• les remèdes floraux

Les remèdes floraux

Ces remèdes sont faits à base de fleurs, de plantes sauvages, de buissons et d'arbres mais ne sont pas employés pour traiter directement les maux physiques, comme le sont les herbes. Ils servent plutôt à traiter les états d'esprit et les humeurs.

La théorie veut que lorsque la paix et l'harmonie sont établies, le corps ferme le circuit, permettant à la force de vie ou *chi* de circuler librement, amenant une guérison naturelle du corps.

Les plus connus sont les remèdes par les fleurs de Bach — nommés d'après l'homéopathe britannique, le Dr Edward Bach, qui créa la série originale de 39 remèdes dans les années 20 et 30 — mais il y en a maintenant d'autres variétés vendues aux États-Unis, en Australie et en Grande-Bretagne.

Voici des exemples des remèdes de Bach: le pin pour traiter la culpabilité, l'olive pour la fatigue, le noyer pour l'adaptation à un nouvel environnement ou une nouvelle situation, la rose sauvage pour l'apathie, la moutarde pour la tristesse et la dépression sans cause apparente. Une petite bouteille sert à 45 traitements. C'est concentré, donc quelques gouttes ajoutées à l'eau de source prise à divers intervalles dans la journée suffisent.

Même s'il n'y a aucune preuve scientifique, ni aucune explication sur le fonctionnement de ces remèdes, plusieurs milliers de personnes dans le monde jurent de leurs effets thérapeutiques.

CHAPITRE 8

Soigner les symptômes physiques

Thérapies physiques pour les diabétiques

Les thérapies physiques visent toutes l'amélioration de votre condition physique. Elles peuvent, dans certains cas, contribuer à réduire certaines complications douloureuses du diabète, telles que celles qui affectent les nerfs ou la circulation.

Les thérapies physiques peuvent aussi promouvoir une sensation de bien-être. Il y a donc des champs communs avec les thérapies axées sur l'esprit et les émotions. Un bon exemple de ceci est le yoga, une des quelques thérapies qui contribuent à améliorer le contrôle du diabète, selon des études réalisées en Grande-Bretagne, aux États-Unis et aux Indes.

Ces techniques aident le corps à affronter le défi d'être diabétique, en même temps qu'elles améliorent l'habileté à se détendre.

Toutes les thérapies expliquées dans ce chapitre sont sécuritaires et naturelles. Si elles amènent des modifications aux besoins quotidiens en insuline, celles-ci devraient être effectuées seulement après en avoir discuté avec votre médecin. Votre médecin pourra peut-être recommander certaines de ces thérapies combinées à votre traitement conventionnel.

Les thérapies qui pourraient vous aider à gérer votre diabète plus efficacement sont:

- l'acupression (shiatsu)
- l'acupuncture
- l'aromathérapie
- l'homéopathie
- le massage
- la médecine traditionnelle orientale (chinoise et indienne)
- la réflexologie
- le yoga

Acupuncture

Comme la plupart des gens le savent, l'acupuncture est un ancien système de guérison qui constitue le coeur de la médecine traditionnelle en Chine. Elle participe de plus en plus, aujourd'hui, à la thérapie naturelle et à la médecine conventionnelle en Occident.

L'acupuncture a pour but de restaurer, dans le corps, l'équilibre du *qi* (prononcer chi, signifiant énergie ou force de vie) et ainsi de stimuler les parties du corps considérées comme étant faibles. La médecine traditionnelle chinoise perçoit le corps comme étant l'équilibre des forces du *yin* (négative) et du *yang* (positive), les deux qualités complémentaires de cette force.

Selon la croyance chinoise, le *qi* coule par des *méridiens* (des canaux sous la peau) qui constituent un réseau à travers le corps. Lorsque les courants d'énergie sont bloqués, dérangeant le flux de la force de vie, le manque d'harmonie et la maladie s'ensuivent. Les très fines aiguilles insérées par l'acupuncture servent à libérer les courants d'énergie afin de restituer l'équilibre.

Les aiguilles — habituellement faites d'acier inoxydable, d'argent ou d'or — sont généralement laissées en place pendant 20 à 30 minutes. De temps à autre, elles peuvent être remuées un peu par le thérapeute pour un meilleur résultat. Certains praticiens utilisent maintenant cette technique avec un léger courant électrique, on l'appelle *électroacupuncture*.

Les gens ayant expérimenté l'acupucture trouvent qu'elle est indolore et procure une agréable sensation de détente.

Une variante de cette technique s'appelle la *moxabustion*. Ce sont des herbes fumantes, *moxa*, qui sont placées à l'extrémité d'une aiguille ou d'un bâton tenu près du point d'acupuncture.

L'acupuncture et la moxabustion ne sont pas connues comme étant des traitements pour le diabète, mais certains praticiens les utilisent à cette fin. Le docteur Haines, fondateur du Northern Acupuncture College en Angleterre, proclame qu'elles sont utiles dans les complications de cette maladie et pour s'attaquer à la progression cachée du diabète, mais il y a peu de recherches en Occident pour confirmer cette théorie.

Il n'y a pas d'indication du nombre de traitements, mais certains diabétiques de type II disent qu'ils en retirent des bénéfices. Vous devriez constater une différence après environ cinq sessions. Il n'y a pas de preuve que cela aide les diabétiques de type I.

L'histoire de June

«Le diagnostic de mon état de diabétique de type II fut posé il y a sept ans. Avant ce diagnostic, je ne m'étais jamais sentie si mal de toute ma vie. J'ai cru que j'allais mourir. Dans ma voiture, en route vers le travail, la sueur coulait sur ma figure. Je ne pouvais pas conduire 15 kilomètres sans avoir suffisamment à boire. La nuit, j'étais devant le lavabo buvant verre d'eau après verre d'eau.

Aussitôt le diagnostic établi, je dus prendre des comprimés. Ensuite, j'allai vivre pendant deux ans à l'étranger, à Ténériffe, où j'avais un style de vie beaucoup moins stressant. Je cessai de prendre des comprimés.

Il y a un an, ma fille me fit connaître l'acupuncture qui m'aida énormément. Le bienfait que j'en retirai fut la sensation conséquente au traitement. Je n'ai plus d'inquiétudes. Si je n'ai pas d'acupuncture pendant deux semaines, je commence à sentir que j'en ai vraiment besoin. Je la manque.

Les aiguilles sont appliquées sur mes pieds et mes chevilles, la pièce est chaude, les lumières sont tamisées et je glisse dans un état voisin du rêve.

Depuis que j'ai recours à l'acupuncture, mon diabète est mieux contrôlé. J'ai eu une résurgence en 1994, lorsqu'une amie très chère est morte, à côté de moi, d'une défaillance cardiaque. Mon taux de sucre sanguin est monté en flèche.

Mais après des sessions d'acupuncture, j'ai commencé à me sentir mieux et le diabète s'est calmé.

Parfois une aiguille est placée sur le dessus de ma tête. L'acupuncteur me décrit alors comme une cocotte-minute qui a besoin de relâcher la vapeur. Ça aide vraiment.»

Acupression

L'acupression est décrite comme étant de l'acupuncture sans aiguilles, et selon une théorie, elle fut en usage en Orient avant l'acupuncture. Un certain nombre de variantes existent, mais la mieux connue est probablement le *shiatsu*.

Shiatsu est un mot japonais signifiant pression du doigt et comme l'acupuncture, les principes en sont le mouvement du *qi* ou force de vie dans les divers canaux du corps.

Les praticiens utilisent les pouces, les doigts, les épaules et même les genoux et les pieds pour appliquer de la pression et stimuler les canaux d'énergie.

L'effet physique stimule la circulation et peut-être le système hormonal. Cette thérapie procure aussi une profonde détente et est donc utile dans la gestion du stress. Les praticiens peuvent aussi donner des conseils sur la diète, l'exercice et le style de vie.

Aromathérapie

On croit que l'aromathérapie existe depuis 5 000 ans. L'utilisation médicinale des plantes et des huiles était connue dans l'ancienne Égypte et est mentionnée très clairement dans les écrits chinois très anciens.

Cet art revit au siècle présent grâce au médecin français Jean Valnet, qui employa des huiles essentielles tirées de plantes, écorces, pétales, bois et épices pour traiter le diabète et d'autres maladies chroniques, après la Première Guerre mondiale. Il eut tant de succès que d'autres médecins reprirent son travail et aujourd'hui l'aromathérapie est acceptée comme faisant partie de la médecine conventionnelle en France.

Après la Deuxième Guerre mondiale, cette thérapie fit son entrée dans d'autres pays européens, particulièrement en Grande-Bretagne et c'est maintenant une des thérapies naturelles les plus populaires.

L'aromathérapie est très efficace dans le traitement du stress et des problèmes du système nerveux et peut jouer un rôle dans la guérison des plaies. Elle s'avère utile pour les diabétiques ayant des ulcères aux jambes ou aux pieds, ou des plaies infectées difficiles à guérir.

Il y a plus de 40 huiles parmi lesquelles choisir et vous pouvez soit consulter un thérapeute chevronné ou acheter les huiles pour les employer vous-même à la maison. La façon normale de les utiliser est sous forme de massage, mais elles peuvent être inhalées, mises dans l'eau du bain ou sur une compresse. Des bains de pieds ou de mains sont tout à fait calmants et efficaces pour les problèmes circulatoires.

L'aromathérapie doit être considérée comme un complément aux traitements conventionnels du diabète car elle peut aider le corps dans sa lutte contre la maladie.

Le massage aux huiles essentielles sur le corps est thérapeutique pour les problèmes circulatoires, une complication du diabète. Il aide aussi à faire baisser la pression sanguine et la tension. Cela procure certainement une détente profonde.

L'inhalation des huiles essentielles stimule la partie du cerveau reliée au contrôle des hormones, le comportement instinctif et les émotions fortes.

Les huiles qui peuvent aider les diabétiques comprennent la *sauge* (pour la circulation), la *fleur d'oranger* (le stress), le *citron* (circulation difficile et pression sanguine élevée), l'*encens* (problèmes de peau et stress), la *lavande* (calme et soulage).

Les qualités antiseptiques de l'*huile d'arbre à thé* sont utiles dans le traitement des douloureux ulcères aux pieds résultant d'une complication du diabète.

Une huile de bain contenant du *camphre*, de l'*eucalyptus*, du *géranium*, du *genévrier*, du *citron* et du *romarin* peut contribuer à équilibrer les sécrétions du pancréas. Un massage du dos, avec une huile végétale comme base à laquelle on ajoute six à huit gouttes des ingrédients mentionnés ci-haut, est également très bon.

Vous pouvez acheter des huiles librement dans plusieurs magasins et pratiquer l'aromathérapie à la maison avec votre conjointe ou conjoint. Mais la qualité varie beaucoup et il est vrai que vous en avez pour votre argent; certaines huiles à bon marché peuvent être presque inutiles au plan thérapeutique.

Avec le diabète, il est préférable de voir un spécialiste de l'aromathérapie *médicale* qui en saura beaucoup plus qu'un thérapeute qui emploie les huiles comme traitements de beauté plutôt que comme remèdes.

Mise en garde: Les huiles doivent *toujours* être diluées selon les recommandations et *jamais* prises par la bouche, sauf sous la supervision d'un spécialiste médicalement qualifié. Même diluées, les huiles essentielles sont puissantes et ne doivent *jamais* être utilisées par de jeunes enfants ou des femmes enceintes.

Homéopathie

Les traitements homéopathiques se font selon un principe vieux de 200 ans, établi par un médecin allemand, du nom de Samuel Hahnemann, selon qui «la maladie se guérit par la maladie». Les médicaments homéopathiques proviennent d'une variété de sources — animale, végétale, minérale.

De très petites quantités forment une solution diluée et brassée vigoureusement. Les homéopathes croient que plus la solution est diluée et brassée, plus efficace sera le résultat — c'est pourquoi les médecins trouvent cette théorie difficile à accepter. Ce principe va à l'encontre de ce qu'ils ont appris à l'université.

Certains homéopathes proclament que les diabétiques peuvent être traités par des remèdes homéopathiques, mais il faut garder à l'esprit que rien ne restaurera dans le corps les cellules produisant l'insuline si vous êtes diabétique de type I.

Les traitements homéopathiques seront généralement prescrits en vue d'une amélioration générale de la santé, ou pour des complications particulières de la maladie, telles que les affections cardiaques, nerveuses et rénales. Voici quelques exemples:

- Pour la constitution générale: *sulf nat, silice, nit argent, AC phosphorique.*
- Pour la névralgie: *aconit 30C* (quand les nerfs s'emportent après une exposition au froid), *lachésis 6C* (douleur plus intense après le sommeil), *mag phos 6C* (soulagement de la douleur par la chaleur ou la pression sur l'endroit douloureux), *arsénique 6C* (douleur lorsque le patient se sent épuisé ou gelé).

- Pour la rétinopathie: *arnique 30C* (aussitôt que des flotteurs sont perçus), *conium 6C* (si l'arnique ne fait pas effet en 24 heures) ou *lachésis 6C* (pour éviter d'autres écoulements des capillaires sanguins). Mais rappelez-vous que cette situation peut constituer une urgence, vous devriez avoir recours à un service médical approprié. Un médecin qualifié en homéopathie est l'idéal.

De toute façon, même si des remèdes sont disponibles en vente libre, vous devriez toujours consulter un praticien qualifié lorsque vous prenez des médicaments homéopathiques pour une maladie importante comme le diabète. Ils ne donnent pas les résultats escomptés lorsqu'ils ne sont pas préparés pour vos besoins particuliers. Si vous prenez des médicaments conventionnels en même temps, vous devez consulter votre médecin de famille.

Massage

Le massage est une des thérapies par le toucher les plus anciennes et les plus efficaces dans le traitement et la gestion du stress. Il peut induire rapidement une sensation de bien-être et d'énergie corporelle en même temps qu'il apaise et calme l'esprit et ramène la confiance en soi.

L'étendue des techniques est large, du vigoureux style suédois à la douceur de certaines méthodes telles que le shiatsu, où vous êtes à peine conscient du toucher. Entre les deux se trouve le massage holistique — qui veut traiter la personne entière, aussi bien physique que spirituelle - mais c'est en réalité un massage doux sous un nouveau nom à la mode.

Physiquement, le massage aide le corps à éliminer les déchets et favorise la circulation.

Réflexologie

La réflexologie est basée sur des zones ou des parties des pieds (et parfois des mains) qui correspondent aux différents organes et régions corporels. Par exemple, la zone du pancréas est située sur l'arche du pied.

En termes simples, les réflexologistes utilisent les pieds comme des cartes géographiques et se servent de l'information qu'ils y trouvent pour évaluer l'état de santé d'une personne.

Cette thérapie emprunte beaucoup aux principes de la médecine chinoise. Les thérapeutes croient qu'en appliquant une pression sur ces endroits des pieds et des mains, les canaux d'énergie dans le corps sont libérés et restaurés.

Nulle preuve scientifique de ceci n'existe encore, c'est pouquoi les médecins trouvent difficile d'y adhérer. Mais les bénéfices de cette thérapie sont si évidents dans bien des cas, surtout pour le stress, que les infirmières l'utilisent dorénavant beaucoup dans les hôpitaux de plusieurs pays.

Il est certain que la réflexologie procure une impression de bien-être et aide à améliorer la circulation. Elle peut aussi être utile dans le soulagement de problèmes nerveux douloureux, une complication fréquente du diabète.

Une variante moderne de haute technologie, appelée *vacuflex*, est populaire dans certains pays. Elle veut arriver aux mêmes résultats plus rapidement par l'utilisation de bottes de feutre et de coussinets à succion fonctionnant au moyen d'une pompe à vide, mais il n'y a aucune preuve que cette technique soit bénéfique aux diabétiques.

Médecines traditionnelles orientales

Deux des plus anciens systèmes médicaux connus de l'humanité croient pouvoir offrir beaucoup au diabétique moderne. Ce sont:

- La médecine traditionnelle chinoise (MTC)
- La médecine ayurvédique (médecine indienne traditionnelle)

Médecine traditionnelle chinoise

La MTC combine l'utilisation des herbes et l'acupuncture, le tout faisant partie d'une philosophie complexe dans laquelle la maladie est vue de façon différente par rapport à la médecine occidentale. Il s'agit d'un système de diagnostic complexe qui comprend l'examen de la langue, des oreilles, de la figure, des mains et des pieds, auquel peuvent s'ajouter des conseils et des recommandations diététiques.

Le but sous-jacent de cette méthode est de rétablir l'équilibre du *yin* et du *yang* — l'équilibre entre le physique et l'émotionnel.

Un herbaliste peut se servir de plusieurs centaines d'herbes variées qui seront offertes sous forme de thés, poudres, crèmes, lotions et pilules. Une préparation régulièrement utilisée pour le diabète est connue sous le nom de thé aux huit saveurs; elle regroupe huit herbes sous forme de cachets ou de poudre.

Des chercheurs de l'université Aston, situé au centre de l'Angleterre, ont analysé des remèdes naturels pour le diabète (voir *Chapitre 9*) et ont trouvé que le thé *xiaoke*, une infusion de feuilles séchées, avait une certaine propension à faire diminuer le niveau de glucose.

Le diabète peut être vu comme un déséquilibre des reins et de la rate, alors des herbes sont prescrites pour restaurer le *yin* et le *yang*, nourrir les organes faibles et redonner au corps un tonus général.

Médecine ayurvédique

Cette médecine est l'élément central d'une médecine traditionnelle de l'Inde et fut décrite comme un des systèmes les plus anciens et complets de soins de santé naturels au monde. Elle fait des progrès en Occident.

Ce système fait partie d'une philosophie de vie plus vaste, le *ayurveda,* signifiant science de la vie. Il comprend 20 approches différentes de la santé, par l'esprit, le corps, le comportement et l'environnement. On y souligne l'importance de la diète et de la nutrition, du style de vie, de l'environnement et des émotions.

On utilise des préparations d'herbes et de minéraux (ce système comporte environ 8 000 préparations médicinales aux herbes) et l'on souligne l'importance de la prévention et de la correction des déséquilibres du corps avant que la maladie ne s'installe.

En plus des herbes prescrites, le traitement s'appuie fortement sur le changement du style de vie et sur la diète — deux facteurs également importants pour le diabétique.

Le contenu et la préparation des aliments sont importants, de même que la croyance que certains aliments peuvent réduire l'anxiété alors que d'autres augmentent le niveau d'énergie.

Yoga

Le yoga est un système d'entraînement spirituel, mental et physique qui origine de l'Inde, où existent un certain nombre de centres de recherche et d'apprentissage de cet entraînement. Le nom vient du sanscrit et signifie union.

L'étude du yoga véritable incorpore des éléments comme la méditation et exige un certain engagement spirituel. Le yoga le plus connu en Occident représente seulement un aspect du yoga, l'aspect physique, plus exactement appelé *hatha yoga*. C'est le terme général pour les positions et les exercices appelés *asanas*, qui devraient être pratiqués ensemble avec des exercices de respiration et de détente.

En Occident, le yoga est habituellement enseigné et pratiqué en groupe mais il est aussi possible d'y travailler par vous-même à la maison.

La *thérapie par le yoga* met de l'avant les ressources du corps pour opérer sa propre guérison, en utilisant des techniques anciennes physiques et mentales orientées vers des problèmes et des maladies particuliers. C'est une approche holistique: une combinaison de positions simples, d'exercices de respiration et de détente sont enseignés afin de promouvoir de meilleurs fonctions mentales, physiques et émotionnelles.

Les chercheurs ayant étudié l'effet du yoga sur les diabétiques y voient un grand bénéfice en termes de contrôle et de prise de conscience du corps.

En tant que diabétique, vous sentirez parfois que votre corps vous contrôle par la nécessité de surveiller et de régulariser la nourriture et la médi-

cation. Ceci peut mener à des sentiments négatifs et
à une moindre estime de soi.

En Angleterre, le Yoga Biomedical Trust de
Londres a commandé des recherches sur l'effet du
yoga sur le diabète et offre des classes spéciales pour
les diabétiques.

Il y a six ans, ce trust fut impliqué dans la
première recherche britannique sur le yoga et le
diabète au Royal Free Hospital de Londres. Les
diabétiques de type II constatèrent qu'après trois
mois de sessions de yoga cinq fois la semaine, il y
avait une baisse dans leur niveau de glucose sanguin,
de pression sanguine et de poids.

Le Dr Robin Monro, directeur du trust, croit que
le yoga a une influence positive sur les deux types de
diabète et que la pratique continue du yoga dans les
cas de type II peut éliminer le besoin de prendre des
capsules par voie orale ou même de l'insuline.

Il rapporte qu'en Inde, il y a même davantage de
preuves de l'efficacité du yoga dans les diabètes de
type I et II, selon des travaux de recherche effectués
dans des centres à Bombay et Bangalore. Cependant,
la plupart des recherches en Inde ne sont pas accom-
plies de la même façon que les essais cliniques en
Occident.

«Les diabétiques indiens sont contrôlés moins
rigoureusement qu'en Occident, ce qui fait que,
d'une certaine façon, les résultats du travail avec les
diabétiques et le yoga, en Inde, sont plus prometteurs
et donnent de meilleurs résultats», dit-il.

Recherches sur le yoga et le diabète

Un groupe de 149 diabétiques de type II suivirent une thérapie de yoga durant 40 jours au Central Research Institute for Yoga à Delhi. Pour 104 patients, le résultat fut de moyen à bon, avec une réduction significative de l'hyperglycémie et une réduction du besoin de capsules pour diminuer le glucose.

Le rapport publié en 1993 dans le *Diabetes Research and Clinical Practice Journal* conclut que le yoga, thérapie simple et économique, peut être vu comme une aide bénéfique pour les patients non insulino-dépendants.

Exercices de yoga pour les diabétiques

Les bénéfices apportés par le yoga sont le résultat d'une pratique régulière et fréquente. Réservez une période quotidienne pour le yoga, peut-être avant le petit-déjeuner ou avant le repas du soir. Avant de commencer, faites quelques exercices de respiration et d'étirement.

Les exercices de la *Figure 10* sont particulièrement bénéfiques pour les diabétiques mais assurez-vous de les intégrer dans un programme de yoga équilibré, et demandez l'avis d'un professeur de yoga spécialisé si vous êtes incertain des positions. Renseignez-vous aussi et demandez un programme modifié si vous êtes enceinte ou si vous souffrez d'hypertension ou de maladie cardiaque.

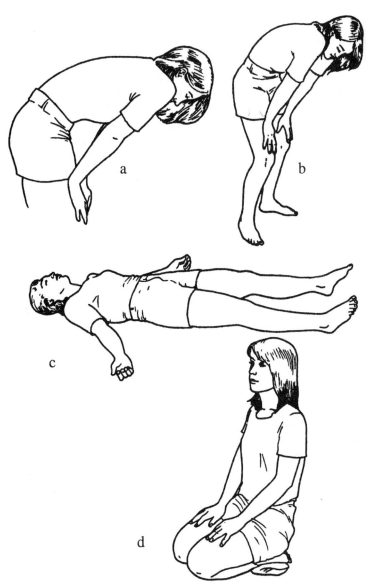

Fig. 10 Quatre exercices simples de yoga à faire à la maison
Tiré de *Yoga for Common Ailments*

Exercice A

Le blocage abdominal

Penchez-vous vers l'avant et expirez complètement par la bouche. Bloquez alors la gorge afin que l'air ne pénètre pas. Dilatez la poitrine comme pour inhaler et rentrez l'abdomen pour former un creux profond. Détendez les muscles. Tenez jusqu'à ce qu'il faille respirer, relâchez et inspirez lentement.

Exercice B

Le pompage abdominal

Penchez-vous vers l'avant et expirez complètement par la bouche. Fermez la gorge afin que l'air ne puisse entrer dans les poumons. Dilatez la poitrine comme pour inhaler et remontez l'abdomen dans la poitrine. Alors, les poumons étant vides, détendez les muscles pour que l'abdomen se relâche. Rentrez l'abdomen, pompez-le vers l'intérieur et l'extérieur jusqu'à ce qu'il faille inspirer, ensuite respirez normalement.

Exercice C

La pose du cadavre (pour la détente)

Couchez-vous sur le dos sur une surface plate et ferme. Diminuez l'espace sous le bas du dos en levant les genoux jusqu'à la poitrine, ensuite glissez les pieds le long du plancher en baissant les jambes. Étendez les bras vers l'extérieur, les paumes ouvertes vers le dessus. Détendez-vous.

Exercice D

Respiration par sections ou respiration de yoga

Ceci doit se faire naturellement comme étant une partie de la session quotidienne. Respirez lentement et régulièrement et arrêtez pour un moment après avoir exhalé ou inhalé.

- Inspirez en laissant l'abdomen s'arrondir et ensuite expirez lentement de manière continue.
- Les épaules et l'abdomen restent immobiles pendant l'inspiration qui dilate le bas de la cage thoracique. Expirez lentement en libérant les côtes.
- Tenez l'abdomen légèrement rentré et la cage thoracique stationnaire. Inspirez et expirez en laissant les omoplates, le haut de la poitrine et les épaules monter et descendre.

L'histoire de Patricia

«Je suis grand-mère de sept petits-enfants et j'ai un diabète non insulino-dépendant depuis 20 ans. Je ne prend pas de capsules ou d'insuline et mon seul traitement est le yoga. Je vais à Londres pour des sessions de thérapie par le yoga réservées spécialement aux diabétiques. Le yoga me donne une sensation de calme profond et de tranquillité.

Pendant les derniers six mois, j'ai pratiqué plus de techniques avancées et mon taux de sucre sanguin a baissé de trois points. Le yoga est plus qu'un bon exercice, c'est un magnifique style de vie.»

Résumé

Aucune thérapie physique ne contient la promesse d'une guérison. Cependant, elles peuvent contribuer à vous faire sentir plus en harmonie avec vous-même et vous encourager à regarder la vie de façon positive. Elles peuvent aussi:

- Rendre votre corps plus fort par des exercices doux
- Avoir une influence sur des problèmes connexes comme les dommages nerveux et la circulation déficiente
- Effacer le stress
- Améliorer le contrôle du glucose

Les traitements physiques comprennent aussi le boire et le manger et dans le prochain chapitre nous examinerons plus spécifiquement les multiples façons d'aider les diabétiques par les aliments, la diète et la nutrition.

CHAPITRE 9

Nourriture et diabète

Comment divers aliments peuvent aider le diabète

La nourriture est un facteur de base, la pierre angulaire, de la gestion quotidienne du diabète. Les symptômes du diabète peuvent s'améliorer ou se détériorer par ce que vous mangez et buvez.

Les scientifiques de l'alimentation et les chercheurs font de plus en plus de découvertes sur les propriétés physiques et chimiques des aliments. La recherche se penche sur les composantes actives des aliments afin de savoir comment créer des aliments possédant certaines propriétés recherchées — comme la capacité de faire baisser le taux de glucose sanguin chez les diabétiques, par exemple.

Certains aliments ont la propriété d'influencer l'évolution du diabète par:

- la diminution du taux de glucose sanguin
- la stimulation de la montée de l'insuline
- la modification du taux de lipides dans le sang
- l'amélioration de la santé générale
- leur contribution au ralentissement des complications comme les maladies de coeur et de reins

Mais ce domaine est tellement nouveau qu'à l'heure actuelle, la British Diabetic Association et l'American Dietetic Association recommandent seulement aux diabétiques de suivre une diète saine et normale.

Pour les diabétiques, une diète saine et normale, telle que discutée au *Chapitre 4*, signifie le choix d'un grand nombre d'aliments mais en concentrant sur les gras faiblement saturés, les hydrates de carbones complexes comme les pommes de terre au four, le pain entier et les pâtes, la diminution du sel et l'absorption de quantités moyennes de protéines provenant de sources variées.

Il n'y a rien de mauvais dans ces recommandations. À ce jour, 30 p. cent des diabétiques de type II sont traités par une diète — plus saine et contribuant à une perte de poids — et 50 p. cent sont traités par la diète et par un ensemble de médicaments afin de diminuer le taux de sucre sanguin. Les autres nécessitent de l'insuline pour répondre aux demandes de leur corps. L'adoption d'une diète plus saine est également encouragée.

Une bonne diète joue aussi un rôle dans la gestion de la tolérance diminuée au glucose et est également importante pour les diabétiques de type I.

Mais il y a plus: les scientifiques découvrent presque chaque mois qu'il y a des éléments *particuliers* dans les aliments qui sont naturellement thérapeutiques. En intégrer quelques-uns à la diète pourrait aider les diabétiques encore plus. Ces nouveaux aliments sur mesure sont connus comme des *aliments fonctionnels* et ont été créés en laboratoire par des scientifiques pour les diabétiques.

Aliments fonctionnels

Les aliments fonctionnels sont un nouveau type de nourriture possédant un grand potentiel pour les diabétiques, spécialement en les aidant à contrôler le glucose. Ces aliments sont apparu sur les étagères des supermarchés européens en 1995 et pourraient révolutionner l'alimentation des diabétiques.

Le terme "fonctionnel" signifie à la fois nutritif et thérapeutique. Les aliments fonctionnels contiennent des ingrédients spécifiques qui pourraient aider les diabétiques à réaliser leur but diététique beaucoup plus facilement qu'avec les aliments ordinaires.

L'idée d'aliments sur mesure germa au Japon. Les Japonais les considèrent comme étant les aliments de l'avenir, parce qu'ils contiennent des ingrédients actifs apportant des bénéfices pour la santé de populations entières.

Les premiers de ces nouveaux aliments sont particulièrement bénéfiques aux diabétiques. Ce sont:

- des petits pains de guar
- des céréales enrichies de son d'avoine

Les petits pains de guar viennent de la gomme de guar et furent créés par des spécialistes de l'alimentation en Grande-Bretagne, en pensant surtout au diabète de type II et au métabolisme (voir l'encadré). S'ils ont du succès, ils pourront être suivis de biscuits, de biscottes et de céréales pour le petit déjeuner.

Le guar dans le pain réduit la montée de glucose dans le sang après l'ingestion, par comparaison à un repas ne comprenant pas de guar. La consommation de petits pains au guar produit une montée de glucose sanguin, mais pas autant que si c'était du pain ordinaire.

L'histoire de la gomme de guar

La gomme de guar ressemble à une innocente petite fève mais elle comporte un potentiel immense pour les diabétiques. La fève en grappe indienne ou *cyamopsis tetragonoloba* est une fève verte en forme de faucille employée tradition-nellement en Inde et au Pakistan (voir *Figure 11*). La gomme de guar est extraite de l'endosperme de la graine ou magasin d'énergie.

Le premier travail avec le guar fut fait dans les années 60, lorsqu'il fut reconnu que le guar et autres polysaccharides pouvaient faire baisser le taux de cholestérol dans le sang des animaux. Mais ce ne fut pas avant les années 70 qu'on réalisa l'effet du guar sur la montée du glucose sanguin et de l'insuline après les repas, chez les humains, y compris ceux ayant le diabète.

Les pionniers dans ce travail furent le professeur David Jenkins de l'Université de Toronto, au Canada, et deux chercheurs du Royaume-Uni, les docteurs Tony Leeds et Peter Ellis, du King's College et du Central Middlesex Hospital à Londres et du Radcliffe Infirmary à Oxford; leurs travaux auprès des diabétiques de type II ont connu un tel succès que la gomme de guar fut testée dans les breuvages ou soupoudrée en granules sur les aliments.

Les céréales enrichies de son d'avoine contien-nent 50 p. cent plus de fibre de son d'avoine que les autres céréales et on croit qu'elles ont le pouvoir de faire baisser le niveau de glucose sanguin chez les diabétiques. La nouvelle céréale est fabriquée selon

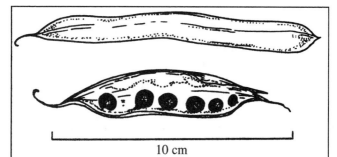

**Fig. 11 Graines de la fève en grappe indienne —
source de gomme de guar**

Même si leurs résultats semblaient bons, les
breuvages étaient épais et très désagréables. C'est
alors que de nouveaux essais débutèrent
conduisant au lancement des petits pains de guar.

On espère que les nouveaux petits pains seront
meilleurs et deviendront une alternative au pain
de grain entier. Ils devraient s'avérer utiles non
seulement aux diabétiques mais aussi à ceux qui
ont des problèmes cardiaques.

un processus inédit qui rend le son d'avoine agréable
au goût et hautement nutritif en tant que fibre.

Cette capacité de la nourriture à jouer un rôle
dans le contrôle du niveau de glucose du sang est
tout à fait dans la ligne des recherches faites aux
États-Unis et en Grande-Bretagne sur le diabète —
prévenir autant que possible les hauts et les bas des
niveaux de glucose du sang afin de prévenir des
complications futures comme les maladies corona-
riennes et rénales.

L'histoire du son d'avoine

Des études faites au Canada en 1993 par le Dr Peter Wood montrent que la gomme d'avoine et le son d'avoine employés dans le gruau du matin donné aux diabétiques de type II, font baisser le taux de glucose sanguin. La compagnie suisse Nestlé a testé une nouvelle céréale pour le petit-déjeuner, faite de son d'avoine roulée et de blé, destinée particulièrement aux diabétiques. Le produit devrait sortir sur le marché d'ici peu.

Nestlé assure que le nouvel aliment aura les mêmes saveur et texture que les autres céréales d'avoine mais avec un effet beaucoup plus bénéfique sur les taux de cholestérol et de glucose.

L'avenir des aliments fonctionnels

Les cliniciens et les diététistes sont d'accord qu'un des problèmes rencontrés par les diabétiques de type II, est celui d'adhérer à une diète saine.

Même si les aliments tels que le pain, le riz et les pommes de terre sont recommandés dans une bonne diète, plusieurs de ces aliments ont un *index glycémique élevé*, ce qui signifie qu'ils font monter le niveau de glucose sanguin plus que dans le cas des autres aliments tels que les fèves, les légumes et les pâtes.

Un des buts à long terme des grands chercheurs qui travaillent sur ce problème, en Grande-Bretagne, aux États-Unis, au Japon et en Suède, est de convertir les aliments hautement glycémiques en aliments faiblement glycémiques en leur ajoutant des ingrédients tels que le guar sans leur faire perdre leur saveur.

Le Dr Peter Ellis et ses collègues de recherche au King's College de Londres se penchent sur des alternatives naturelles, comme les polysaccharides des plantes, qui ont des effets similaires dans la réduction du glucose, y compris deux plantes nigériennes.

Des soupes contenant des extraits de *detarium senegalense*, un légume nigérien et de *cissus rotundifolia*, un arbuste, contribuent à diminuer suffisamment le sucre dans le sang et les montées d'insuline chez les humains en santé. En 1995, ces fèves furent testées chez les patients diabétiques du St-Thomas à Londres.

Selon le Dr Ellis, la relation entre les propriétés physiques et chimiques des aliments consommés par les gens, et la nutrition et la santé de ceux-ci, est encore peu connue— même si les experts commencent à comprendre ce qui constitue une diète saine.

«C'est beaucoup plus complexe que de seulement bien manger», dit-il. «Il est important de comprendre comment les nutriments des aliments sont digérés et absorbés pour ensuite déterminer les avantages de certaines diètes pour la santé. Nous devons comprendre encore mieux la façon dont la nourriture est traitée dans notre corps et son effet métabolique.»

La recherche sur l'évolution des aliments dans le système gastro-intestinal et leur effet sur le métabolisme suscite l'intérêt dans les milieux influents.

Un important symposium sur les aliments fonctionnels, tenu à Londres en mars 1995, a réuni des scientifiques de l'alimentation, des nutritionnistes et des manufacturiers d'aliments pour étudier la relation entre aliments et produits pharmaceutiques.

Les participants apprirent que le diabète, les maladies cardiaques et le cancer étaient les cibles d'un nouveau genre d'aliment ayant la capacité de traiter les symptômes. Dans l'avenir, espérons-le, les patients auront un plus grand choix d'aliments qui aideront à améliorer le contrôle glycémique.

Autres aliments utiles

Il y a plus de 15 ans, le Dr Brian Leatherdale, consultant au Dudley Road Hospital dans le centre de l'Angleterre, commença à rencontrer un grand nombre de diabétiques d'origine asiatique se plaignant de ne pouvoir contrôler leur diabète. Ils insistèrent pour dire que leur problème venait de la difficulté à obtenir une plante traditionnelle appelée *karela*, employée en Inde pour traiter le diabète.

Les histoires à propos de cette courge amère continuant à s'accumuler, le Dr Leatherdale décida de s'informer et en 1981 il publia les résultats d'un essai clinique prouvant que l'absorption de courge amère frite par les diabétiques de type II résultait en une légère, mais valable, amélioration de la tolérance au glucose.

Un autre test impliquant un extrait du fruit soluble dans l'eau réduisait suffisamment les concentrations de glucose sanguin durant un test oral de tolérance au glucose.

Le karela (*momordica charantia*), connu également sous le nom de courge amère, pousse comme un fruit en Asie et en Amérique centrale et du Sud (voir *Figure 12*). En Asie, on l'emploie comme légume dans les curry, les soupes et les pot-au-feu. Les variétés cultivées ressemblent à un gros cornichon et ont une saveur amère à laquelle on s'habitue lentement.

En Amérique centrale, la courge amère sauvage (dont les fruits sont beaucoup plus petits que des cornichons) est utilisée pour le thé appelé *cerasee* et sert aussi de médicament anti-diabétique.

La découverte de cette courge pouvant influencer le diabète chez certains patients a amené des chercheurs de l'université Aston, dans le centre de l'Angleterre, à se demander si d'autres plantes auraient aussi ce pouvoir anti-diabétique.

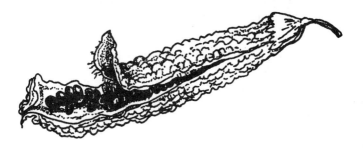

Fig. 12 La plante de karela (courge amère)

Le Dr Caroline Day, une spécialiste britannique du diabète, a entrepris une recherche échelonnée sur plus de dix ans qui a donné lieu au dossier le plus complet au monde sur les remèdes traditionnels pour le diabète.

À ce jour, le Dr Day a recueilli de l'information sur environ 700 variétés de plantes, d'herbes, de légumes et de fruits ayant démontré des qualités anti-diabétiques. La plupart proviennent d'Asie, d'Amérique du Sud, de Chine et d'Afrique. L'Organisation mondiale de la santé a officiellement recom-

mandé que les méthodes traditionnelles de traitement du diabète soient analysées de plus près.

L'élément actif de ces plantes peut être aussi
simple qu'une fibre ralentissant l'absorption de
glucose par le système (un peu comme la gomme de
guar). Le Dr Day découvrit que des plantes comme
la courge amère possèdent d'autres éléments chimiques naturels qui jouent un rôle important dans le
contrôle du diabète chez les populations asiatiques.

De fait, ce médecin et d'autres chercheurs ont
maintenant isolé cinq ou six ingrédients actifs dans
la courge amère seule. Une des difficultés de rendre
ces éléments chimiques naturels plus largement
disponibles réside dans leur toxicité lorsqu'ils sont
en dose concentrée et importante.

L'équipe isole et analyse des éléments chimiques
dans d'autres plantes dans l'espoir qu'un jour on
trouvera un produit chimique végétal non-toxique,
pour en faire un modèle en vue d'un médicament
plus naturel contrôlant le diabète.

Parmi les plantes analysées à ce jour on retrouve
les feuilles d'eucalyptus, les baies de genièvre, les
feuilles de mûres, un cactus mexicain appelé opuntia
streptacantha et des infusions de luzerne d'Afrique
du Sud contenant de fortes concentrations de
manganèse. La luzerne contient aussi beaucoup de
vitamine K et une variante synthétique de cette vitamine peut imiter certains effets de l'insuline.

Un double essai à l'aveugle utilisant la courge
lierre (coccina indica) présente des résultats prometteurs, avec 20 p. cent de chute dans la concentration
de glucose chez les diabétiques de type II qui burent
des infusions de ces feuilles.

Plantes communes aux propriétés anti-diabétiques

Les plantes mentionnées contiennent soit un élément chimique naturel aux plantes qui contribue à diminuer le taux de glucose sanguin, soit une haute teneur en fibres qui ralentissent réellement l'absorption de glucose dans le système sanguin:

- poireaux
- oignons
- ail
- graines de trigonelle
- courge amère
- champignons communs comestibles

- graines de coriandre
- baies de genièvre
- choux
- laitue
- pommes de terre
- navets

Selon les nutritionnistes, il n'y a aucun problème à incorporer ces aliments à une diète quotidienne équilibrée, mais il ne faut jamais les manger seuls abondamment.

Le Dr Day croit qu'il n'y a aucun mal à ajouter des légumes comme la courge amère dans la diète, en autant que c'est avec modération et que le taux de glucose sanguin est vérifié, si vous décidez d'en manger régulièrement.

Gras monoinsaturés

La recherche a prouvé que les diabétiques de type I et II peuvent bénéficier d'une diète riche en gras monoinsaturés trouvés dans des aliments tels que l'huile d'olive, les avocats, les noix macadamia et les amandes.

Les gras monoinsaturés semblent être très bénéfiques aux diabétiques car ils font baisser à la fois le
niveau de glucose dans le sang et les niveaux de
mauvais gras dans le système sanguin tout en maintenant le niveau de bon cholestérol.

Des chercheurs en Nouvelle-Zélande et en
Australie ont favorisé une diète de style méditer-
ranéen, riche en huile d'olive, par opposition aux
diètes comprenant beaucoup d'hydrates de carbone
complexes.

Le seul embêtement avec la diète à l'huile d'olive
est de maintenir un niveau de calories adéquat chez
les obèses. La première bonne démarche à faire est
d'apprendre à remplacer le beurre et la margarine
avec des produits tels que l'huile d'arachide et d'olive.

Une diététiste pourra vous conseiller dans
l'équilibre des calories, afin que vous ne mangiez
pas trop d'une bonne chose!

Diètes végétariennes

Apparemment une diète végétarienne peut
ralentir une maladie des reins reliée au diabète.

Suppléments alimentaires

Les suppléments alimentaires sont des doses
concentrées de vitamines, de minéraux, d'acides
aminés, d'acides gras essentiels et d'enzymes en
comprimés, en capsules ou parfois, en poudre,
employés pour prévenir, traiter ou surmonter la
maladie.

Ils sont normalement prescrits en doses thérapeutiques par des praticiens tels que des *thérapeutes*

nutritionnistes, des *naturopathes* et plus rarement, des *herboristes médicaux.*

Acides gras essentiels

Les acides gras essentiels sont l'histoire à succès de ces suppléments alimentaires que l'on dit efficaces pour le diabète. Un acide gras essentiel est une substance que le corps ne peut fabriquer et alors, comme les vitamines, il doit être ajouté à la diète.

Le plus connu est l'huile d'onagre (voir *Figure 13*). Cette huile a fait une percée dans le traitement naturel de deux complications diabétiques importantes: la neuropathie diabétique et la rétinopathie. L'ingrédient actif dans l'huile d'onagre est l'*acide linoléique gamma* (ALG).

L'ALG est un élément parmi une famille d'acides gras essentiels (AGE) qui sont des composants essentiels de la structure de toutes les membranes des cellules. Dans le corps, les AGE sont convertis en *prostaglandines*, lesquels sont des éléments chimiques vitaux qui régularisent plusieurs fonctions du corps telles que le coeur, les reins, le foie, les poumons, le cerveau, les nerfs, la peau et le système immunitaire.

Les scientifiques ont trouvé que les diabétiques ont de la difficulté à métaboliser les AGE et par le fait même, ces acides gras essentiels circulent dans leur sang en quantités réduites. Plus particulièrement, le diabète bloque la conversion dans le corps de l'acide gras essentiel linoléique en ALG. En prenant des suppléments de ALG il est techniquement possible de contourner ce blocage et de fournir au corps du pur ALG en capsules.

La graine du plant d'onagre contient de grandes quantités d'ALG, mais il faut 5 000 petites graines pour donner l'huile qui servira à une capsule de 500 milligrammes.

Notons que l'ALG se trouve aussi en grandes quantités dans la bourrache (ornithogale), l'huile de cassis et les huiles de moisissures, le lait humain et les huiles végétales polyinsaturées. Les études sur son rôle dans la prévention de la maladie, au cours des derniers 20 ans en Grande-Bretagne, aux Pays-Bas, au Japon, aux États-Unis et en Suisse, ont toutes montré de bons résultats à propos du diabète.

Par exemple, une recherche impliquant 133 patients du Royaume-Uni et de la Finlande souffrant de dommages aux nerfs causés par le diabète montra que les malades prenant de grosses doses quotidiennes de ces suppléments (jusqu'à 12 fois la posologie quotidienne recommandée) s'améliorèrent, alors que ceux qui ne le firent pas se détériorèrent.

Des essais au Canada ont solidement montré que l'huile d'onagre peut arrêter et même inverser la neuropathie diabétique.

Les scientifiques en France et en Australie, en sont également venus à l'évidence que les diabétiques ne peuvent pas produire normalement l'ALG — et ceci, croient-ils, est à la racine de certaines complications à long terme du diabète.

Ainsi plusieurs études ont montré que les ALG, comme l'huile d'onagre, peuvent ralentir l'occurrence de problèmes aux yeux chez les diabétiques. Un autre résultat bénéfique est la façon dont l'AGL agit sur les taux de mauvais gras circulant dans le sang.

L'huile d'onagre est disponible sur prescription ou en vente libre dans les pharmacies et dans les magasins de produits naturels. Mais il faut souligner que certaines études, conduites sous un strict contrôle scientifique, ont montré que pour être efficaces, les doses devaient être très élevées — jusqu'à 6 grammes par jour (12 capsules de 500 milligrammes chacune).

Pour des informations supplémentaires ou de l'aide, consultez un thérapeute nutritionniste ou une compagnie produisant de l'huile d'onagre (en Grande-Bretagne: Efamol).

Fig. 13 La fleur d'onagre

L'histoire de Sheila

Sheila Black, une ancienne comédienne, économiste et journaliste renommée, reçut un diagnostic de diabétique de type II, il y a 15 ans, alors qu'elle avait 60 ans.

Même si elle contrôlait bien son diabète, elle souffrit de la plus pénible des complications: la neuropathie diabétique. On lui dit qu'il n'y avait pas de soins conventionnels à cette maladie.

«Je peux supporter la douleur. À deux reprises, j'ai eu à le faire et j'ai bien réagi. Mais la douleur constante de la neuropathie diabétique, avec cette sensation profonde de brûlure partout, était insupportable.

Pour moi, seulement la mort pouvait m'apporter un soulagement. Je prévins ma famille de ne pas être triste, dans l'éventualité où je parviendrais à mettre fin à mes jours.

Cela n'avait rien à voir avec l'amour que je leur vouais, mais seulement avec mon incapacité à vivre avec cette douleur constante, profonde, le manque de sommeil et, je croyais, l'absence d'espoir.»

Le médecin de Sheila lui expliqua que malgré un bon contrôle diabétique, ses ramifications nerveuses étaient endommagées et envoyaient des messages faussés et douloureux dans son corps, surtout dans les cuisses, le tronc et les jambes.

Les calmants n'avaient pas de prise sur la douleur et on lui dit qu'il n'existait pas de soin conventionnel, bien qu'un gel et des cachets pour dormir l'aidèrent.

Un jour, on lui suggéra de prendre de l'huile d'onagre et son médecin ne s'y objecta pas.

«J'ai commencé à prendre de l'huile d'onagre en grandes doses quotidiennes [6 grammes par jour] en novembre. En février, un soir d'invitation à dîner, je me mis à penser que j'aurais aimé y être et que cela était possible, après tout.

Ce fut une révélation. Je n'avais rien voulu faire pendant des mois. Ceci fit époque car ensuite, je commençai à être active, ce qui m'aurait semblé impossible plus tôt. Je ne pouvais encore conduire car mes bras et mes jambes gauchissaient sous la douleur. Graduellement, mais de façon observable, les douleurs diminuèrent en intensité et en fréquence. Je pouvais m'asseoir sans bondir de peine et sans me raidir. Je m'améliorais.

Le progrès continua en mars et je fus en mesure de prendre le train pour aller voir ma fille au mois d'avril.

Pour mon anniversaire, en mai, je donnai une petite fête, restant debout tard. J'ai alors réalisé que je prenais de l'huile d'onagre depuis six mois.

Le progrès accompli depuis, porte bien son nom, il est progressif. Mes nerfs, mon corps entier se sentent régénérés.»

Minéraux et oligo-éléments

Il y a quatre minéraux qui semblent jouer un rôle important dans le diabète:

- le zinc (nécessaire pour libérer l'insuline des cellules bêta du pancréas)
- le chrome (joue un rôle important dans la production d'insuline et aide l'insuline à contrôler le glucose dans le sang)

- le magnésium (sa carence peut contribuer à la résistance à l'insuline chez les diabétiques de type II)
- le vanadium

Même si l'on sait que ces minéraux sont impliqués dans le contrôle métabolique, il n'a pas encore été établi si l'ajout de ces minéraux à votre diète aura un véritable effet sur votre diabète; les experts sont divisés sur cette question.

Zinc

Le corps n'accumule pas le zinc, c'est donc un bon argument quant aux effets bénéfiques des comprimés de zinc à titre de suppléments. Sans le zinc, l'insuline ne peut être libérée pour agir sur le glucose dans le sang; des déficiences ont été rapportées chez des diabétiques de type II qui devinrent insulino-résistants.

Le zinc, qui se trouve naturellement dans le foie, les oeufs et le poisson, aide aussi à guérir les blessures dues aux complications du diabète.

Chrome

Les aliments très raffinés possèdent peu de chrome et il semble que les gens qui mangent beaucoup d'aliments sucrés ont un bas niveau de chrome. Richard Anderson, un biochimiste du Department of Agriculture's Human Nutrition Centre, aux États-Unis, dit: «Il y a des preuves écrasantes que le chrome régularise et améliore l'activité de l'insuline. En présence de quantités suffisantes de chrome biologiquement actif, des quantités beaucoup plus faibles d'insuline sont requises" (Juvenile Diabetes Federation 1995 Research Journal *Countdown*).

Cependant le professeur Anthony Diplock, un des premiers chercheurs britanniques à s'être penché sur les antioxydants, dit: «Rien ne nous autorise à penser que les diabétiques ayant une diète raisonnable manqueront de chrome.»

Les scientifiques espèrent découvrir d'autres données après un projet de recherche d'un an qui consistera à offrir chaque jour, à des diabétiques de type II, des suppléments de levure de bière riches en chrome et de vérifier leurs réactions métaboliques. L'étude est organisée par les experts en oligo-éléments du Food Research Institute à Norwich, au Royaume-Uni.

Les suppléments de chrome sont disponibles dans les magasins d'aliments naturels et les meilleures sources naturelles sont les aliments comme les céréales, les légumineuses (pois et fèves), les noix et la levure de bière.

Magnésium

Les chercheurs aux États-Unis se penchent sur l'importance du magnésium dans la diète des diabétiques. Une déficience en magnésium peut jouer un rôle dans la résistance à l'insuline, l'intolérance aux hydrates de carbone et l'hypertension (haute pression sanguine). Les suppléments de magnésium sont nécessaires dans les cas de piètre contrôle glycémique.

Vanadium

C'est un oligo-élément qui est étroitement étudié pour son utilisation possible en rapport au diabète.

Vitamines

Malgré certaines preuves des mauvais effets de l'ajout de haute dose de vitamine C, réputée tout guérir, à la saine diète des diabétiques, il y a aussi des preuves en sens contraire: les bonnes vitamines, en bon dosage, pour les bonnes raisons, peuvent être très bénéfiques.

La vitamine E, par exemple, est bénéfique à la santé en général et pour l'absorption d'insuline en particulier, spécialement chez les diabétiques de type II plus âgés.

Un faible taux de vitamine E, l'antioxydant (anti-vieillissement) le plus puissant connu, est considéré comme étant un important facteur de risque dans le développement des maladies de coeur, bien que son rôle dans le diabète commence à peine à être étudié.

Une étude réalisée en Italie, en 1993, montra que des suppléments quotidiens de vitamine E produisaient une légère mais valable amélioration dans le contrôle du métabolisme du diabète de type II (mais on indiquait aussi que plus de travail doit être fait pour vérifier l'innocuité de hautes doses de suppléments de vitamine E chez les diabétiques).

Note: Les maladies cardiaques chez les diabétiques, sont occasionnées par des facteurs différents de ceux qui affectent le reste de la population. Les traitements adéquats pour les patients cardiovasculaires ne seront pas nécessairement appropriés pour les diabétiques souffrant de complications cardiaques.

Naturopathie

Les praticiens de la médecine naturopathique sont connus comme des naturopathes. Les naturopathes se spécialisent dans un éventail de thérapies naturelles et sont ce qui se rapprochent le plus d'un «praticien général de la médecine naturelle».

Un naturopathe habile pourra employer l'ostéopathie — soit la manipulation des os et des muscles, plus particulièrement ceux du dos, pour redonner un bien-être physique et mental — l'acupuncture, l'hydrothérapie, l'homéopathie, les herbes aussi bien que les suppléments alimentaires.

Comme tous les autres thérapeutes naturels, les naturopathes considèrent la maladie comme un déséquilibre du corps et essayeront de lui redonner son propre pouvoir de guérison. Ils voudront trouver les facteurs qui vous rendent vulnérable à la maladie.

L'emphase est mise sur une bonne nutrition, un style de vie sain, la pensée positive. Les exercices et la perte de poids sont également une partie importante du traitement.

Le naturopathe typique prendra plusieurs éléments déjà discutés dans ce livre afin de traiter votre diabète. Pour les diabétiques de type II, l'effort principal sera mis sur l'amélioration de la diète et du style de vie et sur les techniques de détente. Pour les diabétiques de type I, l'élément principal sera de stimuler leur santé et d'améliorer leur bien-être général.

Les naturopathes se retrouvent le plus aux États-Unis, en Afrique du Sud, en Australie, en Nouvelle-Zélande, en Allemagne et en Israël, où leur formation couvre à peu près les mêmes matières que celles des médecins et où ils sont parfois reconnus à statut égal. Il en résulte que dans ces pays, plusieurs d'entre-eux travaillent en association avec les médecins de famille.

Herborisme médical

Les herboristes médicaux emploient les plantes pour traiter et prévenir la maladie. Ils peuvent utiliser quelques-unes des plantes déjà mentionnées pour traiter votre diabète. Plusieurs plantes peuvent faire baisser le taux de glucose sanguin et les herboristes médicaux peuvent en suggérer d'autres pour améliorer les fonctions du foie et du pancréas.

Mais l'herborisme médical est une thérapie sérieuse et raffinée dans laquelle les herboristes sont parfaitement entraînés à se servir d'herbes très fortes, et parfois dangereuses, qu'une personne non formée ne devrait jamais toucher.

Les herboristes médicaux adoptent une vision globale de leurs patients qui vise à restaurer l'équilibre du corps en l'aidant à mobiliser ses propres forces. Le traitement devrait aussi comprendre des conseils sur la diète et le style de vie.

Si vous êtes un diabétique de type I vous devriez demander l'avis de votre médecin de famille avant d'accepter une prescription d'herbes — bien qu'un herboriste sérieux voudra parler à votre médecin et s'informer de vos besoins en insuline.

Ne vous attendez pas à mettre l'insuline de côté — bien que, dans certains cas, vous puissiez réduire les doses d'insuline sous la supervision de votre herboriste médical et de votre médecin de famille, si les herbes améliorent l'absorption d'insuline.

Les traitements aux herbes pour les diabétiques de type II qui contrôlent leur diabète seulement par la diète pourraient comprendre l'*ortie*, la *rue de chèvre*, la *racine de pissenlit*, l'*écorce de fingertree*. Elles améliorent les fonctions du foie et du pancréas et sont habituellement prescrites sous forme de teintures plutôt que d'infusions, puisque plusieurs de ces herbes ont une saveur très amère.

Résumé

Nous avons vu que le recours à des praticiens et des thérapistes variés peut énormément aider la plupart des personnes souffrant des deux genres de diabètes courants. Mais la prochaine question est presque la plus importante et la plus difficile à répondre: comment trouver un thérapeute en qui vous pouvez avoir confiance? Le dernier chapitre vous dit exactement comment y parvenir.

CHAPITRE 10

Comment trouver et choisir
un thérapeute naturiste

*Trucs et lignes de conduite afin de
trouver de l'aide fiable*

Il est aujourd'hui beaucoup plus facile de trouver
un thérapeute adéquat que ce l'était il y a quelques
années — mais ce n'est pas encore assez facile. La
grande variété de thérapies est confondante et dans
plusieurs pays les thérapeutes naturistes ne sont pas
pleinement organisés.

Il ne manque pas d'annuaires ni de publicité, mais
il est difficile de jauger la valeur de leur information.
Alors comment trouver un thérapeute en qui vous
aurez confiance?

Commencer la recherche: les sources locales

Comme nous l'avons vu, plusieurs thérapies
naturelles soulignées dans ce livre ont des racines
qui remontent à l'antiquité. Certaines existent depuis
qu'il y a des humains sur terre et trouver un bon
thérapeute revient à s'ouvrir au tam-tam de son
milieu. Le bouche à oreille est encore la meilleure
façon de trouver le bon praticien.

Parlez à toute personne dont vous respectez
l'opinion, spécialement s'il ou elle souffre de la

même affliction que vous. (Vous voudrez aussi savoir qui éviter, et quelles sont les thérapies qui ne vous aideraient pas du tout.) Si ceci ne fonctionne pas, il y a quelques autres moyens que vous pouvez essayer:

Cliniques de médecins et centres médicaux

Si vous avez besoin d'aide urgente, vous devez voir votre médecin de famille. Il a déjà été expliqué dans ce livre que votre état peut se détériorer rapidement en l'absence d'un traitement adéquat. Si vous vous informez sur des thérapies naturelles d'entrée de jeu, ne vous étonnez pas d'entendre soit un avertissement sérieux, soit la recommandation d'essayer un thérapeute naturiste après que votre condition se sera stabilisée.

Centres de santé naturelle

Le centre de santé naturelle de votre quartier serait heureux de vous renseigner. Vos premières impressions seront souvent un bon guide de la qualité du service offert. Est-ce que le personnel est bien informé et amical? L'endroit est-il propre et agréable? Est-ce que l'ambiance vous met à l'aise dès le moment où vous entrez? Cela devrait être ainsi. Cela compte. Vous leur apportez votre confiance et votre clientèle, les deux méritent le plus profond respect.

Un bon centre devrait fournir suffisamment d'information concernant les différentes thérapies et les praticiens. Dans un service bien rodé, la réceptionniste ou la propriétaire connaîtra toutes les thérapies offertes. Dans le cas contraire, c'est mauvais signe.

Vous pouvez demeurer indécis après vos premières impressions, ne sachant si vous devez

COMMENT TROUVER ET CHOISIR...   167

prendre rendez-vous ou pas. Dans ce cas, demandez à rencontrer la personne qui pourrait vous traiter, afin de la jauger. Cela devrait être possible, même dans une clinique achalandée.

Ne commencez pas en racontant toute votre histoire, mais certains endroits vous offriront cette occasion pendant une consultation gratuite — habituellement 15 minutes — pour vérifier si vous choisissez la bonne thérapie.

Praticiens locaux

Les praticiens connaissent habituellement qui fait quoi dans le quartier, même pour des thérapies différentes des leurs. Si vous connaissez, disons, un réflexologiste mais que vous cherchez un homéopathe, demandez-lui conseil. La même approche est valable si vous connaissez socialement un praticien mais que vous ne voulez pas le consulter professionnellement. Ces spécialistes sont généralement heureux de recommander quelqu'un qu'ils connaissent, et qui évolue dans le même champ d'action.

Magasins d'aliments naturels et librairies alternatives

Le personnel de ces établissements a souvent une bonne connaissance des ressources environnantes, ainsi que de l'intérêt pour les thérapies naturelles. Le magasin pourra avoir un babillard où sont accrochées les cartes d'affaires des praticiens locaux. Rappelez-vous cependant que les praticiens les plus expérimentés et les mieux établis n'ont pas besoin de ce genre de publicité, vous risquez donc de passer à côté si vous ne demandez pas de références à propos d'eux.

Autres sources d'informations locales

N'oubliez pas que votre pharmacien local connaît à la fois les thérapeutes conventionnels et naturistes.

La bibliothèque du quartier ou le centre d'information local peuvent constituer d'autres bonnes sources de contacts, en particulier pour trouver des groupes de support ou d'aide individuelle.

L'ordinateur (avec un modem) peut apporter ce genre d'information par le biais d'Internet; d'autres sources qui valent la peine d'être essayées sont les centres de santé, les thérapeutes de beauté et les bureaux de renseignements aux citoyens.

Sources d'information plus larges

Si vous ne trouvez pas votre réponse au plan local, ne baissez pas les bras — il y a d'autres pistes à suivre au plan national.

Un organisme qui en chapeaute plusieurs

À défaut d'obtenir une recommandation personnelle ou de trouver une clinique réputée dans votre patelin, vous pourriez communiquer avec un organisme médical qui en chapeaute plusieurs afin d'en connaître davantage sur les qualifications d'un thérapeute. Un tel organisme vous fournira la liste des organismes inscrits et des praticiens diplômés.

Il est préférable de téléphoner plutôt que d'écrire; cela vous donnera une meilleure idée de l'efficacité et de la pertinence de l'organisme en question. Vous apprendrez peut-être alors que plusieurs associations professionnelles encadrent la thérapie qui vous intéresse. Vous devrez peut-être débourser afin d'obtenir l'annuaire de chacune de ces associations, mais si vous pouvez vous le permettre, procurez-vous-les tous avant d'arrêter votre choix.

Journaux, magazines et annuaires locaux

Plusieurs thérapeutes font de la publicité. Si vous trouvez des praticiens locaux ainsi, ce sera une bonne idée de leur parler, afin de vérifier en premier.

Vérifier les organisations professionnelles

Certaines organisations sont des groupes authentiques qui vérifient sérieusement leurs membres, alors que d'autres semblent pousser comme de la mauvaise herbe, étant intéressés seulement à recueillir les frais d'adhésion de leurs membres et à se donner de la crédibilité. Cette section vous aidera à faire votre propre désherbage.

Pourquoi les organisations professionnelles existent?

Les buts des organismes régulateurs pour les thérapies naturelles sont de:

- mettre à jour liste des membres, afin que vous puissiez vérifier si la personne que vous cherchez y est inscrite
- assurer votre protection en vérifiant que les membres sont bien formés, ont leur permis de pratique et sont assurés contre les accidents, la négligence et les erreurs de pratique
- recevoir des plaintes, par exemple, si vous êtes insatisfait par un aspect du traitement reçu et que vous ne pouvez en arriver à une entente avec le thérapeute
- protéger les membres en leur donnant de bons avis éthiques et légaux

- représenter leurs membres lorsque de nouvelles lois, pouvant les affecter, sont instituées
- contribuer au perfectionnement de leurs membres, avant et après l'obtention de leur qualification
- promouvoir une plus grande connaissance des bienfaits de chaque thérapie auprès des cercles médicaux conventionnels
- améliorer la connaissance du public à propos de chacune des thérapies

Questions à poser aux organisations professionnelles

Un bon organisme publiera de l'information claire et simple sur ses statuts et ses buts, avec la liste de ses membres. Comme ils ne font pas tous cela, vous pourrez trouver utile de communiquer avec eux, au moment de recevoir la liste, pour leur demander ce qui suit:

- La date de fondation de l'association? (Si elle existe depuis 50 ans, par exemple, vous vous sentirez rassuré. Si elle est nouvelle, ne la rejetez pas pour autant. Demandez pourquoi elle fut fondée — la raison peut en être intéressante.)
- Combien de membres possède-t-elle? (L'importance reflète la demande du public, puisqu'un thérapeute ne peut survivre si la thérapie n'est pas en demande. Les gros organismes ont généralement une meilleure crédibilité, mais un petit organisme peut simplement refléter une thérapie très spécialisée ou encore jeune — ce qui n'est pas nécessairement mauvais.)
- Quand a débuté la thérapie qu'elle représente?

- Est-ce que c'est un organisme de charité ou d'éducation — avec sa propre constitution, un comité de gestion et des comptes publics — ou est-ce une compagnie privée et limitée? (Les organismes de charité doivent être à but non lucratif, travailler à l'intérêt général et permettre une inspection en tout temps. Les compagnies privées ne sont pas soumises à ces contraintes.)
- Fait-elle partie d'un plus grand réseau d'organisations? (Si oui, cela implique qu'elle est intéressée à progresser de pair avec d'autres groupes et pas seulement à poursuivre ses propres objectifs. Généralement les groupes qui oeuvrent en solo sont moins fiables que ceux qui s'affilient.)
- L'organisation a-t-elle un code d'éthique (établissant les standards du comportement professionnel) et des procédures disciplinaires? Si oui, quels sont-ils?
- Comment les membres sont-ils admis au registre? Sont-ils reliés à une seule école? (Méfiez-vous des associations dont la direction est également celle de l'école qu'elles représentent: l'objectivité peut faire défaut dans ce genre de situation.)
- Est-ce que les membres doivent prouver qu'ils ont une assurance-responsabilité professionnelle? Celle-ci devrait couvrir:
  - Les dommages accidentels à vous et à vos possessions pendant que vous êtes dans le lieu de travail du praticien
  - La négligence (soit le manque du praticien à exercer le devoir de soins qu'il vous doit, ou son incapacité à maintenir les standards de compétence clinique que ses qualifications

présupposent, résultant en une aggravation de votre problème)

- La faute professionnelle (une inconduite professionnelle impliquant, entre autres, la malhonnêteté, l'inconduite sexuelle ou le bris de confiance — les détails qui vous concernent ne devraient *jamais* être discutés avec une tierce personne sans votre permission)

Vérifications de la formation et des qualifications

Si vous êtes rassuré mais un peu confus sur le contenu de la formation, posez quelques questions supplémentaires:

- Combien de temps dure la formation?
- Est-ce à temps complet ou à temps partiel?
- Si c'est à temps partiel mais plus court que la formation à plein temps et menant aux mêmes qualifications, est-ce que le temps consacré à des conférences et en clinique équivaut à un cours à plein temps? (En d'autres mots, est-ce un raccourci?)
- Est-ce que la formation comprend la visite de patients sous supervision dans une clinique de collège ou en pratique régulière?
- Que signifient les initiales suivant le nom du thérapeute? Sont-elles simplement reliées à sa participation à une organisation ou indiquent-elles des études approfondies?
- Est-ce que les qualifications sont reconnues? Si oui, par qui? (Ceci devient de plus en plus important quand les organisations de thérapeutes se regroupent et commencent à former des registres d'état dans plusieurs pays. Mais la chose impor-

tante à savoir est si les qualifications sont reconnues par une autorité régulatrice indépendante des
organisations.)

Choisir

Le choix final implique à la fois du bons sens, de
l'intuition et le courage d'essayer un thérapeute.
N'oubliez pas que la partie la plus importante de tout
le processus est votre résolution de vous sentir
mieux, d'avoir un meilleur contrôle de votre état de
santé et l'espoir d'une amélioration de votre condition. L'autre chose importante est de vous sentir à
l'aise avec votre thérapeute.

À quoi ressemble une consultation auprès d'un thérapeute naturiste?

Puisque la plupart des thérapeutes font de la
pratique privée, même dans les pays dont le système
de soins de santé est étatisé, il n'y a pas un style
unique qui prévaut.

Même s'ils partagent tous plus ou moins une
croyance aux principes énoncés au Chapitre 6, vous
rencontrerez des individus de toutes les strates
sociales. Vous trouverez autant de différences dans le
vêtement, la pensée et le comportement qu'il y a de
modes, des plus formelles et sophistiquées aux plus
détendues.

De la même façon les lieux de travail seront très
différents. Certains offriront une image très recher-
chée dans une clinique avec réceptionniste où tout
est efficace, alors que d'autres vous recevront dans
leur salon garni de plantes et du bric-à-brac domes-
tique.

Rappelez-vous, cependant, que même si l'image peut refléter le statut, elle ne garantit pas nécessairement l'habileté. Un thérapeute qualifié peut aussi bien travailler chez lui que dans une clinique ayant pignon sur rue.

Cependant les caractéristiques les plus importantes se retrouvent chez tous les bons thérapeutes:

- Ils vous consacreront beaucoup plus de temps que le médecin de famille ne le ferait. La première consultation ne durera pas moins d'une heure, parfois plus. Ils voudront savoir tout ce qu'il faut sur vous, pour mieux vous connaître et comprendre ce qui ne va pas et ce qui pourrait être la cause fondamentale de votre problème.
- Vous devrez payer pour tous les remèdes qu'ils vous prescrivent et qu'ils vous vendront à même leur inventaire. Ils vous feront aussi payer leurs honoraires — bien que certains thérapeutes réduisent leurs coûts pour des cas spéciaux ou pour les gens qui ne peuvent vraiment pas assumer les frais complets.

Précautions élémentaires

- Méfiez-vous de quiconque vous promet la guérison. Personne ne peut y parvenir pas même les médecins.
- Posez-vous des questions si on essaie de vous vendre une série de traitements. Votre réaction à une thérapie naturelle est très individuelle. Bien entendu, si le thérapeute est très occupé, il voudra prévoir à l'avance une ou deux séances. Vous devriez pouvoir annuler sans pénalité toutes les séances qui ne seraient pas nécessaires (mais

rappelez-vous d'aviser au moins 24 heures à l'avance, dans le cas contraire certains praticiens vous feront payer des frais).

- Aucun thérapeute honnête ne demandera de payer le traitement à l'avance, à moins qu'il y ait des tests spéciaux ou des médicaments — et même ceci n'est pas habituel. Si l'on vous demande un paiement à l'avance, quel qu'il soit, demandez à quoi il servira. Si les raisons ne vous satisfont pas, ne payez pas.

- Méfiez-vous si on ne vous demande rien à propos de la médication que vous prenez en ce moment et essayez de donner des réponses précises aux questions posées. Soyez sur vos gardes si le thérapeute vous dit d'arrêter ou de changer ces médicaments prescrits, sans en parler à votre médecin d'abord. (Un médecin responsable acceptera de discuter de votre médication avec vous et votre thérapeute.)

- Notez la qualité du toucher du thérapeute si vous choisissez une des techniques de détente ou de manipulation telles que le massage, l'aroma-thérapie ou l'ostéopathie. Le toucher ne doit jamais s'attarder ou être suggestif. Si, pour quelque raison, le thérapeute veut toucher vos seins ou organes génitaux, il doit vous en demander la permission d'abord.

- Si le praticien est du sexe opposé, vous avez le droit d'être accompagnée de quelqu'un dans la pièce. Soyez immédiatement sur vos gardes si on refuse. Les thérapeutes honnêtes ne refuseront pas cette demande et s'ils le font, mieux vaut ne plus avoir affaire à eux.

Que faire si les choses tournent mal

Un praticien est dans une position de confiance et il est investi d'un devoir d'attention à votre égard. Cela ne veut pas dire que vous avez droit à une «guérison» seulement parce que vous avez payé pour recevoir un traitement, mais si vous croyez avoir été traitée injustement, de façon incompétente ou malhonnête, vous avez plusieurs choix:

- Avec votre praticien, abordez la question à la source du problème, soit verbalement ou par écrit.
- S'il ou elle travaille dans une clinique, une ferme de santé ou un centre sportif, dites-le à la direction. Ils ont la responsabilité de protéger le public et devraient donner suite à la plainte avec sérieux et discrétion.
- Communiquez avec l'organisme professionnel du praticien. Il devrait avoir un comité indépendant qui enquête en profondeur suite à des plaintes et qui peut rappeler à l'ordre ses membres.
- Si la faute commise est de nature criminelle, rapportez-la à la police (mais soyez préparée à faire la preuve de votre parole contre celle de la partie adverse).
- Si vous croyez avoir droit à un dédommagement, voyez un avocat qui vous conseillera.

À part l'apparition devant le tribunal, la mauvaise publicité est la pire chose qui peut arriver à un praticien incompétent ou malhonnête. Racontez à tous votre expérience. Les gens ont seulement besoin d'entendre les mêmes faits, émanant de sources différentes, pour que le praticien disparaisse sans laisser de trace. Avant d'en arriver là, cependant, essayez les autres démarches en premier et donnez-vous le temps de réfléchir calmement à ce qui arrive. La vengeance n'est pas une bonne guérisseuse.

Avertissement: Ne faites pas de déclarations malicieuses sans une bonne raison. De pareilles pratiques sont en soi une faute criminelle dans certains pays et vous pourriez vous en tirer plus mal que le praticien.

Résumé

De fait, il y a peu de véritables fraudeurs ou charlatans en thérapie naturelle. Malgré le mythe, il n'y a pas beaucoup d'argent à faire à moins que le thérapeute soit très en demande — et les chances sont bonnes qu'un thérapeute très occupé soit un bon thérapeute. Rappelez-vous que personne ne peut tout savoir et qu'aucun spécialiste n'a jamais obtenu 100 p. cent aux examens lui donnant droit de pratique. La perfection est un idéal, non une réalité, et il est humain de se tromper.

C'est pourquoi la prise en charge de votre santé est probablement la leçon la plus importante qui sous-tend ce livre. Se prendre en charge signifie être responsable des choix que vous faites et c'est un des facteurs les plus importants de la réussite d'un traitement

Personne d'autre que vous ne peut choisir un praticien et décider s'il est bon ou non pour vous. Vous sentirez cela très facilement et probablement très vite, par la façon dont vous réagissez vis-à-vis la personne et la thérapie et si oui ou non vous vous sentez mieux.

Si vous n'êtes pas heureuse, il vous revient de rester ou d'aller voir ailleurs — et de continuer à chercher tant que vous n'aurez pas trouvé le bon thérapeute. Ne désespérez pas de ne pas trouver la bonne personne dès la première fois. La bonne personne pour vous existe quelque part et votre détermination à guérir est votre meilleure ressource pour trouver cette personne.

Par dessus tout, n'oubliez pas que tous ceux qui ont fait cette démarche avant vous, ont reçu de l'aide au-delà de leurs plus grandes espérances, mais aussi trouvé une personne fiable et intime qui les aidera dans des moments difficiles — et qui pourra même devenir un ami pour la vie.

Adresses utiles

La liste d'organisations qui suit n'est que pour fins informatives et n'implique aucun endossement de notre part, ni ne signifie que ces organisations assument les points de vue exprimés dans cet ouvrage.

CANADA

Association canadienne du diabète
15, rue Toronto, suite 1001
Toronto (Ontario)
Canada M5C 2E3
Tél: (416) 363-3373

Association médicale holistique canadienne
700, rue Bay
Toronto (Ontario)
Canada M5G 1Z6
Tél: (416) 599-0447

Association canadienne de naturopathie
4174, rue Dundas ouest
Suite 304
Etobicoke (Ontario)
Canada M8X 1X3
Tél: (416) 233-1043

QUÉBEC

Association du diabète du Québec inc.
5635, rue Sherbrooke est
Montréal (Québec)
Canada H1N 1A3
Tél: (514) 259-3422

Corporation des praticiens en médecines douces du Québec
5110, rue Perron
Pierrefonds (Québec)
Canada H8Z 2J4
Tél: (514) 634-0898

Association des chiropracticiens du Québec
7960, boul. Métropolitain est
Anjou (Québec)
Canada H1K 1A1
Tél: (514) 355-0557

Association professionnelle des acupuncteurs du Québec
1265, rue Mont-Royal est
Bureau 204
Montréal (Québec)
Canada H2J 1Y4
Tél: (514) 597-0505

FRANCE

Association française des diabétiques
14, rue du Clos
F-75020 Paris France
Tél: 33-1/40-09-24-25

Association Zen international
17, rue Keller
75011 Paris France
Tél: (1) 48-05-47-43

Fédération nationale de médecine traditionnelle chinoise
73, boul. de la République
06000 Cannes France
Tél: 04-93-68-19-33

Association française de chiropractique
102, rue du Docteur Ruichard
49000 Angers
France
Tél: 33 (2) 41.68.04.04

BELGIQUE

Association belge du diabète
Chaussée de Waterloo, 935
B-1180 Bruxelles Belgique
Tél: 32--2/374-31-95

SUISSE

Association suisse du diabète
Forchstrasse 95
CH-8032 Zurich Suisse
Tél: 41-1/383-1315

INTERNATIONAL

Fédération internationale du diabète
1, rue Defacqz
B-1000 Bruxelles
Belgique
Fax: 32-2-538 5114

Organisation mondiale de la santé
Division des maladies non-infectieuses
CH-1211 Genève 27
Suisse
Tél: 4122-791-3472

Organisation médicale homéopathique internationale
B.P. 77
69530 Brignais
France

INDEX